U0105534

昌明文庫・悅讀經典

一・生・必・讀・的

中外經典名著

哲學卷

劉上洋—主編　陳東有—副主編
黎康—選編

前言
FOREWORD

學習是文明傳承之途、人生成長之梯、政黨鞏固之基、國家興盛之要。我們黨歷來重視和善於學習。建設馬克思主義學習型政黨，是黨的十七屆四中全會提出的一項重大戰略任務，是黨中央從當前世情、國情、黨情出發，進一步動員全黨加強學習、開拓奮進的重大舉措。胡錦濤總書記在「七一」講話中，對建設學習型政黨又提出了新的希望和要求，強調「全體黨員、幹部都要把學習作為一種精神追求」，「真正做到學以立德、學以增智、學以創業」。一個黨員只有不斷地通過讀書豐富和完善自己的理論知識，汲取人類源源不盡的智慧精華，才能提升自身的素質與修養，才能不斷適應新形勢、新要求，才能在新的歷史起點上開闢事業發展的新境界。

知識永無止境，書籍浩如煙海。要在有限的時間裏通過讀書學習獲取最大的收穫，就要在讀書學習時做到有所選擇、有所取捨。只有選取那些劃時代的經典著作，特別是那些能夠啟動感性、啟發知性、錘鍊理性的經典名篇進行重點閱讀，才能收到事半功倍的效果。大浪淘沙，真金自見。經過歷史檢驗而巍然存世的經典名篇是古今中外的文化精華，是人類智慧的結晶。這些傳世之作歷久彌新，蘊涵著大量的治政理念、法治精神、哲學思考、經濟思想、文學精髓、歷史規律、科技知識和藝術感悟等，是我們取之不盡、用之不竭的文化源泉。閱讀這些經典名篇，既能使我們博採眾長，不斷增加知識儲備，又能使我們產生思想上的共振共鳴，得到精神上的愉悅享受。

為此，省委宣傳部組織編輯出版了這套黨員幹部閱讀系列叢書。該套叢書共分為政治卷、哲學卷、經濟卷、歷史卷、法律卷、文學卷、科技卷、藝術卷8卷，從古今中外浩繁的書籍中遴選了部分具有啟迪、普及意義的經典名篇，以滿足全省廣大黨員幹部對高品位、高品質、多學科經典著作的閱讀需要。同時，也藉此在全社會大興讀書學習之風，推動各級黨組織形成愛讀書、樂讀書、讀好書、善讀書的良好風氣，促進全省學習型黨組織建設活動廣泛深入地開展，使廣大黨員幹部更好地適應時代和社會發展的需要，為實現江西科學發展、進位趕超、綠色崛起貢獻智慧和力量。

2011年10月13日

---

*編按：本文原刊《讀精品・品經典・哲學卷》之〈前言〉。

目錄

CONTENTS

一、對哲學的認識

馬克思・關於費爾巴哈的提綱 001

恩格斯・哲學的基本問題 006
（節選自《路德維希・費爾巴哈與德國古典哲學的終結》）

列寧・論戰鬥唯物主義的意義 011
（節選）

毛澤東・哲學就是認識論 015
（節選自《關於人的認識問題》）

蘇格拉底・哲學家的使命 019
（節選自《蘇格拉底的申辯》）

亞里斯多德・研究哲學是為了求知 023
（節選自《形而上學》）

霍布斯・哲學是為人生謀福利的 026
（節選自《論物體》）

黑格爾・哲學史開講辭 028

柏格森・哲學的直覺 032
（節選自《哲學的直覺—在波倫亞哲學會議上的演講》）

波普爾・我不怎樣看待哲學 036
（節選自《我怎樣看待哲學》）

王國維・論哲學家與美術家之天職 040
馮友蘭・哲學與人生之關係（二） 044
張岱年・愛智 048
馮契・化理論為方法、化理論為德性 051
（節選自《智慧的探索—〈智慧說三篇〉導論》）
擴展閱讀 054

二、對世界的思索

赫拉克利特・太陽每天都是新的 057
（節選自《赫拉克利特著作殘篇》）
柏拉圖・怎樣認識理念 061
（節選自《斐德羅》）
伽利略・地球在轉動 064
（節選自《關於托勒密和哥白尼兩大世界體系的對話》）
萊布尼茨・單子是自然界的真正原子 068
（節選自《單子論》）
貝克萊・存在就是被感知 073
（節選自《人類知識原理》）
赫胥黎・人類在自然界的位置 076
（節選）
佛洛德・論無常 080

泰戈爾·個人與宇宙的關係 085
（節選自《人生的親證》）
海德格爾·我為什麼住在鄉下 089
老子·道法自然 094
（節選自《道德經》）
莊子·秋水 098
（節選）
陸九淵·宇宙便是吾心，吾心便是宇宙 101
（節選自《雜說》）
擴展閱讀 103

三、**對人性的反思**

蘇格拉底·人應當知道自己的無知 105
（節選自《蘇格拉底的申辯》）
弗蘭西斯·培根·論人的天性 110
休謨·論人的理智 113
盧梭·人的過錯 117
亞當·斯密·論同情 120
（節選自《道德情操論》）
康德·人是目的 124
（節選自《道德形而上學的基礎》）

佛洛德・論本能 127
（節選自《自我與本我》）
羅素・論嫉妒 131
弗羅姆・人，是狼還是羊？ 135
（節選自《人心》）
馬斯洛・人性的精髓 139
（節選自《人性的精髓是什麼？》）
孔子・仁者愛人 144
（節選自《論語・顏淵篇第十二》）
孟子・人性本善 148
（節選自《孟子》）
荀子・性惡論 152
（節選自《荀子・性惡第二十三》）
擴展閱讀 155

四、對方法的探究

列寧・談談辯證法問題 157
（節選）
毛澤東・實踐論 162
（節選）
毛澤東・矛盾論 165
（節選）

弗蘭西斯・培根・研究事物的方法 169
笛卡兒・要認識真理必須運用正確的方法 172
（節選自《談方法》）
朱熹・讀書之法 175
（節選自《朱子語類》）
李四光・讀書與讀自然書 179
胡適・大膽的假設，小心的求證 182
（節選自《論治學的方法與材料》）
茅以升・學習研究「十六字訣」 186
（節選）
賀麟・讀書方法與思想方法 190
（節選）
張岱年・六經注我與我注六經 194
艾思奇・「有的放矢」 198
（節選自《「有的放矢」及其它》）
丁肇中・應有格物致知精神 201
（節選）
擴展閱讀 204

五、對存在的追問

德謨克里特・人應當怎樣活著 207
（節選自《德謨克里特著作殘篇》）

笛卡兒・我思故我在 211
（節選自《談方法》）
巴斯卡・人是思想的葦草 214
（節選自《巴斯卡思想錄》）
康德・我們頭上的燦爛星空 219
（節選自《實踐理性批判》）
費希特・人的最終使命 223
（節選）
叔本華・生存空虛論 227
（節選）
尼采・從痛苦中分娩思想 231
愛因斯坦・「人是為別人而生存的」 234
（節選自《我的世界觀》）
薩特・人的存在先於人的本質 238
（節選自《存在主義是一種人道主義》）
梁啟超・最苦與最樂 241
陳獨秀・人生真義 244
梁漱溟・人生三種態度：追逐、厭離、鄭重 248
馮友蘭・人生的意義及人生中的境界 252
擴展閱讀 256

六、對真理的追求

馬克思・無產階級就是執刑者 257
（節選自《在〈人民報〉創刊紀念會上的演講》）

毛澤東・人的正確思想是從哪裏來的 261

毛澤東・自由是必然的認識和世界的改造 264
（節選自《駁第三次「左」傾路線（節選）》）

赫拉克利特・智慧就在於認識真理 267
（節選自《赫拉克利特著作殘篇》）

羅吉爾・培根・掌握真理的障礙 271
（節選自《大著作》）

布魯諾・真理面前半步也不後退 274
（節選自《論無限、宇宙和諸世界》）

伏爾泰・論平等 278

波普爾・如何對待錯誤？ 282

墨子・非攻（中） 286

李大釗・庶民的勝利 290

馮定・真理是平凡的 294
（節選自《平凡的真理》）

擴展閱讀 297

後記 298

一 ●●● 對哲學的認識

馬克思

關於費爾巴哈的提綱

一

從前的一切唯物主義——包括費爾巴哈的唯物主義——的主要缺點是：對對象、現實、感性，只是從客體的或者直觀的形式去理解，而不是把它們當作人的感性活動，當作實踐去理解，不是從主體方面去理解。因此，結果竟是這樣，和唯物主義相反，唯心主義卻發展了能動的方面，但只是抽象地發展了，因為唯心主義當然是不知道現實的、感性的活動本身的。費爾巴哈想要研究跟思想客體確實不同的感性客體，但是他沒有把人的活動本身理解為對象性的〔gegenständliche〕活動。因此，他在《基督教的本質》中僅僅把理論的活動看做是真正人的活動，而對於實踐則只是從它的卑污的猶太人的表現形式去理解和確定。因此，他不瞭解「革命的」、「實踐批判的」活動的意義。

二

人的思維是否具有客觀的〔gegenständliche〕真理性，這不是一個理論的問題，而是一個實踐的問題。人應該在實踐中證明自己思維的真理性，即自己思維的現實性和力量，自己思維的此岸性。關於離開實踐的思維的現實性或非現實性的爭論，是一個純粹經院哲學的問題。

三

有一種唯物主義學說，認為人是環境和教育的產物，因而認為改變了的人是另一種環境和改變了的教育的產物——這種學說忘記了：環境正是由人來改變的，而教育者本人一定是受教育的。因此，這種學說必然把社會分成兩部分，其中一部分高出於社會之上（例如在羅伯特·歐文那裏就是如此）。

環境的改變和人的活動的一致，只能被看做是並合理地理解為變革的實踐。

四

費爾巴哈是從宗教上的自我異化，從世界被二重化為宗教的、想像的世界和現實的世界這一事實出發的。他做的工作是把宗教世界歸結於它的世俗基礎。他沒有注意到，在做完這一工作之後，主要的事情還沒有做。因為，世俗基礎使自己從自身中分離出去，並在雲霄中固定為一個獨立王國，這一事實，只能用這個世俗基礎的自我分裂和自我矛盾來說明。因此，對於這個世俗基礎本身首先應當從它的矛盾中去理解，然後用排除矛盾的方法在實踐中使之革命化。因此，例如，自從發現神聖家族的秘密在於世俗家庭之後，對於世俗家庭本身就應當從理論上進行批判，並在實踐中加以變革。

五

費爾巴哈不滿意抽象的思維而訴諸感性的直觀；但是他把感性不是看作實踐的、人的感性的活動。

六

費爾巴哈把宗教的本質歸結於人的本質。但是，人的本質不是單個人所固有的抽象物，在其現實性上，它是一切社會關係的總和。費爾巴哈沒有對這種現實的本質進行批判，所以他不得不：(1)撇開歷史的進程，把宗教感情固定為獨立的東西，並假定有一種抽象的——孤立的——人的個體。(2)因此，他只能把人的本質理解為「類」，理解為一種內在的、無聲的、把許多個人純粹自然地聯繫起來的普遍性。

七

費爾巴哈沒有看到，「宗教感情」本身是社會的產物，而他所分析的抽象的個人，實際上是屬於一定的社會形式的。

八

社會生活在本質上是實踐的。凡是把理論導致神秘主義的神秘東西，都能在人的實踐中以及對這個實踐的理解中得到合理的解決。

九

直觀的唯物主義，即不是把感性理解為實踐活動的唯物主義，至多也只能做到對「市民社會」的單個人的直觀。

十

舊唯物主義的立腳點是「市民」社會；新唯物主義的立腳點則是人類社會或社會化的人類。

十一

哲學家們只是用不同的方式解釋世界，而問題在於改變世界。

（馬克思《關於費爾巴哈的提綱》，《馬克思恩格斯選集》第 1 卷，人民出版社 1995 年版）

編選說明 ●●●

本文原題為《關於費爾巴哈》，是馬克思主義哲學的綱領性檔之一。馬克思於 1845 年春在布魯塞爾寫成，其內容主要是批判費爾巴哈的 11 條提綱。該文在馬克思生前並未發表，最早發表是 1888 年作為恩格斯《路德維希·費爾巴哈和德國古典哲學的終結》一書的附錄問世。恩格斯在書中的序言中稱這個檔為「關於費爾巴哈的提綱」，是一份「包含著新世界觀的天才萌芽的第一個檔」。《提綱》論述的中心是實踐問題。基於科學的實踐觀點，馬克思從根本上揭露了從前一切唯物主義，包括費爾巴哈唯物主義在內的根本缺陷，深刻地揭示了社會生活的實踐本質，科學地說明了人的社會性本質，正確地闡述了社會實踐是歷史發展的動力。《提綱》和《德意志意識形態》一起，被公認為是馬克思主義哲學、特別是唯物史觀創立的基本標誌。

恩格斯

哲學的基本問題

全部哲學，特別是近代哲學的重大的基本問題，是思維和存在的關係問題。在遠古時代，人們還完全不知道自己身體的構造，並且受夢中景象的影響，於是就產生一種觀念：他們的思維和感覺不是他們身體的活動，而是一種獨特的、寓於這個身體之中而在人死亡時就離開身體的靈魂的活動。從這個時候起，人們不得不思考這種靈魂對外部世界的關係。如果靈魂在人死時離開肉體而繼續活著，那就沒有理由去設想它本身還會死亡；這樣就產生了靈魂不死的觀念，這種觀念在那個發展階段出現決不是一種安慰，而是一種不可抗拒的命運，並且往往是一種真正的不幸，例如在希臘人那裏就是這樣。關於個人不死的無聊臆想之所以普遍產生，不是因為宗教上的安慰的需要，而是因為人們在普遍愚昧的情況下不知道對已經被認為存在的靈魂在肉體死後該怎麼辦。由於十分相似的原因，通過自然力的人格化，產生了最初的神。隨著各種宗教的進一步發展，這些神越來越具有了超世界的形象，直到最後，通過智力發展中自然發生的抽象化過程——幾乎可以說是蒸餾過程，在人們的頭腦中，從或多或少有限的和互相限制的許多神中產生了一神教的唯一的神的觀念。

因此，思維對存在、精神對自然界的關係問題，全部哲學的最高問題，像一切宗教一樣，其根源在於蒙昧時代的愚昧無知的觀念。但是，這個問題，只是在歐洲人從基督教中世紀的長期冬眠中覺醒以後，才被十分清楚地提了出來，才獲得了它的完全的意義。思維對存在的地位問題，這個在中世紀的經院哲學中也起過巨大作用的問題：什麼是本原的，是精神，還是自然界？——這個問題以尖銳的形式針對著教會提了出來：世界是神創造的呢，還是從來就有的？

哲學家依照他們如何回答這個問題而分成了兩大陣營。凡是斷定精神對自然界來說是本原的，從而歸根到底承認某種創世說的人（而創世說在哲學家那裏，例如在黑格爾那裏，往往比在基督教那裏還要繁雜和荒唐德多），組成唯心主義陣營。凡是認為自然界是本原的，則屬於唯物主義的各種學派。

除此之外，唯心主義和唯物主義這兩個用語本來沒有任何別的意思，它們在這裏也不是在別的意義上使用的。下面我們可以看到，如果給它們加上別的意義，就會造成怎樣的混亂。

但是，思維和存在的關係問題還有另一個方面：我們關於我們周圍世界的思想對這個世界本身的關係是怎樣的？我們的思維能不能認識現實世界？我們能不能在我們關於現實世界的表象和概念中正確地反映現實？用哲學的語言來說，這個問題叫做思維和存在的同一性問題，絕大多數哲學家對這個問題都作了肯定的回答。例如在黑格爾那裏，對這個問題的肯定回答是不言而喻的，因為我們在現實世界中所認識的，正是這個世界的思想內容，也就是那種使世界成為絕對觀念的逐步實現的東西，這個絕對觀念是從來就存在的，是不依賴於世界並且先於世界而在某處存在的；但是思維能夠認識那一開始就已經是思想內容的內容，這是十分明顯的。同樣明顯的是，在這裏，要證明的東西已經默默地包含在前提裏面了。但是，這決不妨礙黑格爾從他的思維和存在的同一性的論證中作出進一步的結論：他的哲學因為對他的思維來說是正確的，所以也就是唯一正確的；而思維和存在的同一性要得到證實，人類就要馬上把他的哲學從理論轉移到實踐中去，並按照黑格爾的原則來改造整個世界。這是他和幾乎所有的哲學家所共有的幻想。

但是，此外，還有其它一些哲學家否認認識世界的可能性，或者至少是否認徹底認識世界的可能性。在近代哲學家中，休謨和康德就屬於這一類，而他們在哲學的發展上是起過很重要的作用的。對駁斥這一觀點具有決定性的東西，凡是從唯心主義觀點出發所能說的，黑格爾都已經說了；費爾巴哈所增加的唯物主義的東西，與其說是深刻的，不如說是機智的。對這些以及其它一切哲學上的怪論的最令人信服的駁斥是實踐，即實驗和工業。既然我們自己能夠製造出某一自然過程，按照它的條件把它生產出來，並使它為我們的目的服務，從而證明我們對這一過程的理解是正確的，那麼康德的不可捉摸的「自在之物」就完結了。動植物體內所產生的化學物質，在有機化學開始把它們一一製造出來以前，一直是這種「自在之物」；一旦把它們製造出來，「自在之物」就變成為我之物了，例如茜草的色素——茜素，我們已經不再從地裏的茜草根中取得，而是用便宜得多、簡單得多的方法從煤焦油裏提煉出來了。哥白尼的太陽系學說有 300 年之久一直是一種假說，這個假說儘管有 99%、99. 9%、99.99%的可靠性，但畢竟是一種假說；而當勒維烈從這個太陽系學說所提供的資料，不僅推算出必定存在一個尚未知道的行星，而且還推算出這個行星在太空中的位置的時候，當後來加勒確實發現了這個行星的時候，哥白尼的學說就被證實了。如果新康德主義者企圖在德國復活康德的觀點，而不可知論者企圖在英國復活休謨的觀點（在那裏休謨的觀點從來沒有絕跡），那麼，鑒於這兩種觀點在理論上和實踐上早已被駁倒，這種企圖在科學上就是開倒車，而在實踐上只是一種暗中接受唯物主義而當眾又加以拒絕的羞羞答答的做法。

但是，在從笛卡兒到黑格爾和從霍布斯到費爾巴哈這一長時期內，推動哲學家前進的，決不像他們所想像的那樣，只是純粹思想的力量。恰恰相反，真正推動他們前進的，主要是自然科學和工業的強大而日益迅猛的進步。在唯物主義者那裏，這已經是一目了然的了，而唯心主義體系也越來越加進了唯物主義的內容，力圖用泛神論來調和精神和物質的對立；因此，歸根到底，黑格爾的體系只是一種就方法和內容來說唯心主義地倒置過來的唯物主義。

（節選自恩格斯《路德維希·費爾巴哈與德國古典哲學的終結》，《馬克思恩格斯選集》第 4 卷，人民出版社 1995 年版）

編選說明

本文節選自恩格斯的哲學論著《路德維希·費爾巴哈與德國古典哲學的終結》。這部著作寫於 1886 年，是恩格斯為全面系統地闡明馬克思主義哲學同德國古典哲學的關係而作。書中在闡明這種關係時，說明了馬克思主義哲學的產生是哲學發展史上的偉大革命變革。

列寧曾評價説，這部著作也同《共產黨宣言》一樣，是每個覺悟工人必讀的書籍。這裏節選的是論著的第二章，主要論述的是哲學的基本問題。這裏，恩格斯通過總結人類認識史的經驗，在哲學史上第一次提出了思維和存在的關係問題是哲學基本問題，並且歸納為兩個方面的內容。第一個方面的內容是，思維與存在、精神與物質何者為本原的問題，這是區分唯物主義和唯心主義的唯一標準。第二個方面的內容是，思維能不能認識世界的問題，即世界的可知性問題，也叫做思維和存在的同一性問題。絕大多數哲學家都對這個問題做了肯定的回答。有少數哲學家否認認識世界的可能性，或者至少否認徹底認識世界的可能性，這就是不可知論者。恩格斯運用辯證唯物主義的實踐觀點，對不可知論進行了徹底的批判。聯繫哲學基本問題第二方面內容，恩格斯提出只有引入實踐才能徹底駁倒不可知論。

列寧

論戰鬥唯物主義的意義（節選）

戰鬥唯物主義為了完成應當進行的工作，除了同沒有加入共產黨的徹底唯物主義者結成聯盟以外，同樣重要甚至更重要的是同現代自然科學家結成聯盟，這些人傾向於唯物主義，敢於捍衛和宣傳唯物主義，反對盛行於所謂「有教養社會」的唯心主義和懷疑論的時髦的哲學傾向。

《在馬克思主義旗幟下》雜誌第 1—2 期合刊上登了阿·季米裏亞捷夫論愛因斯坦相對論的文章，由此可以期待，這個雜誌也能實現這後一種聯盟。必須更多地注意這個聯盟。必須記住，正因為現代自然科學經歷著急劇的變革，所以往往會產生一些大大小小的反動的哲學學派和流派。因此，現在的任務就是要注意自然科學領域最新的革命所提出的種種問題，並吸收自然科學家參加哲學雜誌所進行的這一工作，不解決這個任務，戰鬥唯物主義決不可能是戰鬥的，也決不可能是唯物主義。季米裏亞捷夫在雜誌第 1 期上不得不聲明，各國已有一大批資產階級知識分子抓住了愛因斯坦的理論，而愛因斯坦本人，用季米裏亞捷夫的話來說，並沒有對唯物主義原理進行任何主動的攻擊。這不僅是愛因斯坦一人的遭遇，也是 19 世紀末以來自然科學的許多大革新家，甚至是多數大革新家的遭遇。

為了避免不自覺地對待此類現象，我們必須懂得，任何自然科學，任何唯物主義，如果沒有堅實的哲學論據，是無法對資產階級思想的侵襲和資產階級世界觀的復辟堅持鬥爭的。為了堅持這個鬥爭，為了把它進行到底並取得完全勝利，自然科學家就應該做一個現代唯物主義者，做一個以馬克思為代表的唯物主義的自覺擁護者，也就是說，應當做一個辯證唯物主義者。為了達到這個目的，《在馬克思主義旗幟下》雜誌的撰稿人就應該組織從唯物主義觀點出發對黑格爾辯證法作系統研究，即研究馬克思在他的《資本論》及各種歷史和政治著作中實際運用的辯證法。馬克思把這個辯證法運用得非常成功，現在東方（日本、印度、中國）的新興階級，即占世界人口大多數但因其歷史上無所作為和歷史上沉睡不醒而使歐洲許多先進國家至今仍處於停滯和腐朽狀態的數億人民日益覺醒奮起鬥爭的事實，新興民族和新興階級日益覺醒的事實，愈來愈證明馬克思主義的正確性。

當然，這樣來研究、解釋和宣傳黑格爾辯證法是非常困難的，因此，這方面的初步嘗試不免要犯一些錯誤。但是，只有什麼事也不做的人才不會犯錯誤。根據馬克思怎樣運用從唯物主義來理解的黑格爾辯證法的例子，我們能夠而且應該從各方面來深入探討這個辯證法，在雜誌上登載黑格爾主要著作的節錄，用唯物主義觀點加以解釋，舉馬克思運用辯證法的實例，以及現代史尤其是現代帝國主義戰爭和革命提供得非常之多的經濟關係和政治關係方面辯證法的實例予以說明。依我看，《在馬克思主義旗幟下》雜誌的編輯和撰稿人這個集體應該是一種「黑格爾辯證法唯物主義之友協會」。現代的自然科學家從作了唯物主義解釋的黑格爾辯證法中可以找到（只要他們善於去找，只要我們能學會幫助他們）自然科學革命所提出的種種哲學問題的解答，崇拜資產階級時髦的知識分子在這些哲學問題上往往「跌」反動的泥坑。

唯物主義如果不給自己提出這樣的任務並不斷地完成這個任務，它就不能成為戰鬥的唯物主義。用謝德林的話來說，它與其說是戰鬥，不如說是挨揍。不這樣做，大自然科學家在作哲學結論和概括時，就會和以前一樣常常感到束手無策。因為，自然科學進步神速，正處於各個領域都發生深刻的革命性變革的時期，這使得自然科學無論如何離不了哲學結論。

（節選自列寧《論戰鬥唯物主義的意義》，《列寧選集》第四卷，人民出版社 1995 年版）

編選説明 • • •

本文是列寧為《在馬克思主義旗幟下》雜誌撰寫的短文，刊載於 1922 年 3 月該雜誌第 3 期，目的是向馬克思主義哲學工作者提出戰鬥任務。十月革命勝利後，年輕的蘇維埃政權處於世界資本主義包圍中，國內外資產階級勢力不停地向蘇維埃政權施加經濟壓力，且極力扶持並利用唯心主義哲學和宗教，向唯物主義發起瘋狂進攻。各種時髦哲學流派歪曲利用自然科學中的「最新成就」，替反動的資產階級及其偏見效勞。因此，在思想戰線上，擺在俄國共產黨人面前的新任務就是要向形形色色的唯心主義作不調和的鬥爭。為此，必須和一切唯物主義者建立聯盟，共同反對唯心主義、發展唯物主義哲學；必須進行徹底的無神論宣傳，使廣大勞動群眾擺脫宗教迷信的束縛，為進行共產主義教育創造條件；必須同自然科學家結成聯盟，從哲學上總結自然科學的新成就，排除唯心主義的干擾；在概括科學成就和社會實踐經驗的基礎上探討和發展唯物主義辯證法。本文是無產階級黨性和科學性結合的典範，是發展馬克思主義哲學的綱領性文獻。

毛澤東

哲學就是認識論

世界是無限的。世界在時間上、在空間上都是無窮無盡的。在太陽系外有無數個恒星，太陽系和這些恒星組成銀河係。銀河係外又有無數個「銀河係」。宇宙從大的方面看來是無限的。宇宙從小的方面看來也是無限的。不但原子可分，原子核也可分，電子也可以分，而且可以無限地分割下去。莊子講「一尺之捶，日取其半，萬世不竭」，這是對的。因此，我們對世界的認識也是無窮無盡的。要不然物理學這門科學就不再會發展了。如果我們的認識是有窮盡的，我們已經把一切都認識到了，還要我們這些人幹什麼？

人對事物的認識，總要經過多少次反覆，要有一個積纍的過程。要積纍大量的感性材料，才會引起感性認識到理性認識的飛躍。關於從實踐到感性認識，再從感性認識到理性認識的飛躍的道理，馬克思和恩格斯都沒有講清楚，列寧也沒有講清楚。列寧寫的《唯物主義和經驗批判主義》，只講清楚了唯物論，沒有完全講清楚認識論。最近艾思奇在高級黨校講話說到這一點，這是對的。這個道理中國的古人也沒有講清楚。老子、莊子沒有講清楚，墨子講了認識論方面的問題，但也沒有講清楚。張載、李卓吾、王船山、譚嗣同都沒有講清楚。什麼叫哲學？哲學就是認識論。「雙十條」的第一個十條前面那一段話是我寫的。我講了物質變精神、精神變物質。我還說讓哲學從哲學家的課堂上和書本裏解放出來。

現在，我們對許多事物都還認識不清楚。認識總是在發展。有了大望遠鏡，我們看到的星星就更多了。說到太陽和地球的形成，一直到現在還沒有人能夠推翻康德的星雲假說。如果說對太陽我們搞不十分清楚，那麼對太陽與地球之間這一大塊地方也還搞不清楚。現在有了人造衛星，對這方面的認識就漸漸多起來了。我們對地球上氣候的變化，也不清楚，這也要研究。關於冰川時期問題，科學家們還在爭論。

（于光遠：方才主席談到望遠鏡，使我想起一個問題：我們能不能把望遠鏡、人造衛星等等概括成「認識工具」這個概念？）

你說的這個「認識工具」的概念有點道理。「認識工具」當中要包括頭、機器等等。人的認識來源於實踐。我們用頭、機器等等改造世界，我們的認識就深入了。工具是人的器官的延長，如頭是手臂的延長，望遠鏡是眼睛的延長，身體五官都可以延長。

佛蘭克林說人是製造工具的動物。中國人說人為萬物之靈。動物中有靈長類，猴子就是靈長類動物，但也不知道製造棍子打果子。在動物的頭腦裏，沒有概念。

（于光遠：哲學書裏通常只以個人作為認識的主體，但在實際生活中認識的主體不只是一個一個的人，而且常常是一個集體，如我們黨就是一個認識的主體。這樣的看法行不行？）

階級就是一個認識的主體。最初工人階級是一個自在的階級，那時它對資本主義沒有認識。以後就從自在階級發展到自為階級，這時它對資本主義就有了認識。這就是以階級為主體的認識的發展。

地球上的水，也不是一開始就有的。最早的時候，地球上溫度那麼高，水是不能存在的。《光明日報》上前兩天有一篇文章，講氫、氧化合成水要經過幾百萬年。北京大學傅鷹教授說要幾千萬年，不知道《光明日報》那篇文章的作者同傅鷹討論過沒有？有了水，生物才能生長出來。人就是從魚進化來的，人的胚胎有一個發育階段就像魚。

一切個別的、特殊的東西都有它的發生、發展與滅亡。每一個人都要死，因為他是發生出來的。人類是發生出來的，因此人類也會滅亡。地球是發生出來的，地球也會滅亡。不過，我們說的人類滅亡、地球滅亡，同基督教講的世界末日不一樣。我們說人類滅亡、地球滅亡，是說有比人類更進步的東西來代替人類，是事物發展到更高階段。我說馬克思主義也有它的發生、發展與滅亡。這好像是怪話。但既然馬克思主義說一切發生的東西都有它的滅亡，難道這話對馬克思主義本身就不靈嗎？說它不會滅亡是形而上學。當然馬克思主義的滅亡是有比馬克思主義更高的東西來代替它。

（節選自毛澤東《關於人的認識問題》，《毛澤東文集》第 8 卷，人民出版社 1999 年版）

編選說明 ● ● ●

本文節選自毛澤東的《關於人的認識問題》一文。該文記錄的是毛澤東一九六四年八月二十四日同北京大學副校長周培源、中共中央宣傳部科學處處長、國家科委副主任於光遠的談話。文中，毛澤東認為：哲學就是認識論。在他看來，人對事物的認識，總要經過多少次反覆，要有一個積纍的過程。只有在實踐的基礎上積纍大量的感性材料，才會引起感性認識到理性認識的飛躍。毛澤東關於「哲學就是認識論」的論斷，是根據恩格斯和列寧的有關哲學的論述而作出的科學概括，它突顯了哲學的認識功能。毛澤東對「從實踐到感性認識、再從感性認識到理性認識飛躍」這一過程所蘊含道理的深刻闡述，無疑是對馬克思主義哲學的重大貢獻。

蘇格拉底

哲學家的使命

公民們！我尊敬你們，我愛你們，但是我寧願聽從神，而不聽從你們；只要一息尚存，我永不停止哲學的實踐，要繼續教導、勸勉我所遇到的每一個人，仍舊像慣常那樣對他說：「朋友，你是偉大、強盛、以智慧著稱的城邦雅典的公民，像你這樣只圖名利，不關心智慧和真理，不求改善自己的靈魂，難道不覺得羞恥嗎𢑱」如果那個人說：「是啊，可我是關心的呀！」我就不肯馬上離開，也不讓他走，向他提出問題，反覆地盤問他。如果我發現他並無美德，卻說他有，我就責備他把重要的事情看成不重要，把無價值的東西看成有價值。我要把這些話再三地向我所遇到的每一個人說，不管他年輕年老，不管他是公民還是僑民，但是特別要對本邦的公民說，因為他們是我的同胞。要知道，我這樣做是執行神的命令；我相信，我這樣事神是我們國家最大的好事。因此我不做別的事情，只是勸說大家，敦促大家，不管老少，都不要只顧個人和財產，首先要關心改善自己的靈魂，這是更重要的事情。我告訴你們，金錢並不能帶來美德，美德卻可以給人帶來金錢，以及個人和國家的其它一切好事。這就是我的教義。如果它敗壞青年，那我就是壞人。如果有人說這不是我的教義，那他說的就不是真話。公民們！我對你們說，你們要知道，不管你們照不照安虞鐸[1]的話辦，不管你們是不是釋放我，我是決不會改變我的行徑的，雖萬死而不變！

請不要打斷我的話，公民們，我要求過你們把話聽完，請聽我說下去。我還有一些話要說，你們聽了也許會叫喊起來，可是我相信你們聽了有好處，請不要叫喊。你們要知道，如果你們殺了我，殺了我說的這樣一個人，你們自己受到的損失會比我大。因為安虞鐸也好，梅雷多也好，都不能損害我分毫。這是絕對不可能的，因為我相信神的意旨絕不讓壞人害好人。我承認，他也許可以殺死我，或者放逐我，或者剝奪我的公民權；他可以認為，別人也可以認為，這樣做就大大地損害了我，可是我不那麼想。我認為他現在要做的這件事——不公道地殺死一個人——只會更加嚴重地害了他自己。

公民們！我現在並不是像你們所想的那樣，要為自己辯護，而是為了你們，不讓你們由於定我的罪而對神犯罪，錯誤地對待神賜給你們的恩典。你們如果殺了我，是不容易找到另外一個人繼承我的事業的。我這個人，打個不恰當的比喻說，是一隻牛虻，是神賜給這個國家的；這個國家好比一匹碩大的駿馬，可是由於太大，行動迂緩不靈，需要一隻牛虻叮叮它，使它的精神煥發起來。我就是神賜給這個國家的牛虻，隨時隨地緊跟著你們，鼓勵你們，說服你們，責備你們。朋友們，我這樣的人是不容易找到的，我勸你們聽我的話，讓我活著。很可能你們很惱火，就像一個人正在打盹，被人叫醒了一樣，寧願聽安虞鐸的話，把這只牛虻踩死。這樣，你們以後就可以放心大

1 Anytos和Meletos都是蘇格拉底案件的原告。

睡了，除非是神關懷你們，再給你們派來另外一隻牛虻。我說我是神賜給這個國家的，絕非虛語，你們可以想想：我這些年來不營私業，不顧飢寒，卻為你們的幸福終日奔波，一個一個地訪問你們，如父如兄地敦促你們關心美德——這難道是出於人的私意嗎彝如果我這樣做是為了獲利，如果我的勸勉得到了報酬，我的所作所為就是別有用心的。可是現在你們可以看得出，連我的控告者們，儘管厚顏無恥，也不敢說我勒索過錢財，收受過報酬。那是毫無證據的。而我倒有充分的證據說明我的話句句真實，那就是我的貧寒。

有人可能覺得奇怪，為什麼我要以私人身份勸告人們，干預別人的事情，而不敢參加你們的議會，向國家進忠告？這是有原因的。你們曾經聽我在各種各樣的時候、在各種各樣的地點說過，有一種神物或靈機[2]來到我的身上，這就是梅雷多訴狀中譏笑的那個神。這是一種聲音，我自幼就感到它的來臨；它來的時候總是制止我去做打算要做的事情，但從來不命令我去幹什麼。就是這個靈機阻止了我從事政治活動；我想這是很對的。因為我可以斷定，同胞們，我如果參加了政治活動的話，那我早就沒命了，不會為你們或者為自己做出什麼好事了。請不要因為我說出了真相而生氣，事實就是這樣。一個人如果剛正不阿，力排眾議，企圖阻止本邦做出很多不公道、不合法的事情，他的生命就不會安全，不管在這裏還是在別的地方都是這樣的。一個真想為正義而鬥爭的人如果要活著，哪怕是活一個短暫的時期，那就必須當老百姓，決不能擔任公職。

2　靈機，位於神與人之間的守護神。蘇格拉底被控為不信本邦的神阿波羅，另奉邪神，就是指這個靈機。其實希臘人可以各人有各人的守護神，這是合法的。

（節選自〔古希臘〕柏拉圖《蘇格拉底的申辯》，《西方哲學原著選讀》上卷，商務印書館 1982 年版）

編選說明 •••

蘇格拉底（Socrates，公元前 469—前 399），古希臘著名的思想家、哲學家、教育家，一生經歷了雅典民主制度由盛到衰的過程。他和他的學生柏拉圖，以及柏拉圖的學生亞里斯多德，三人並稱為「古希臘三賢」，被認為是西方哲學的奠基者。他雖然一生沒有留下任何著作，我們只能從他的學生如柏拉圖、色諾芬等人的著作中去瞭解他的言行和思想，但他對後世的影響卻是深遠和巨大的。

本文選自柏拉圖的《蘇格拉底的申辯》，這是柏拉圖記載的蘇格拉底在死刑判決前的自辯辭中的一段。文中，蘇格拉底凜然直陳自己作為哲學家的使命，這就是「永不停止哲學的實踐」，勸勉眾人「關心智慧和真理」、「改善自己的靈魂」。殺死、放逐或剝奪，這在他看來並不能損害哲學家分毫。他還以駿馬與牛虻作比喻，說明自己鞭策國家前行乃神賜的使命。最後他強調，之所以不擔任公職而僅以私人身份「勸告人們」、「向國家進忠告」，這也正是哲學家的使命不同於政治家之處。

亞里斯多德

研究哲學是為了求知

哲學並不是一門生產知識。這一點，即便從早期哲學家們的歷史看，也是很明白的。因為人們是由於詫異才開始研究哲學；過去就是這樣，現在也是這樣。他們起初是對一些眼前的問題感到困惑，然後一點一點前進，提出了比較大的問題，例如日月星辰的各種現象是怎麼回事，宇宙是怎麼產生的。一個人感到詫異，感到困惑，是覺得自己無知；所以在某種意義上，愛神話的人就是愛智慧的人，因為神話也是由奇異的事情構成的。既然人們研究哲學是為了擺脫無知，那就很明顯，人們追求智慧是為了求知，並不是為了實用。這一點有事實為證。因為只是在生活福利所必需的東西有了保證的時候，人們才開始尋求這類知識。所以很明顯，我們追求這種知識並不是為了什麼別的好處。我們說一個自由的人是為自己活著，不是為伺候別人而活著；哲學也是一樣，它是唯一的一門自由的學問，因為它只是為了它自己而存在。

也許有人認為人是不能掌握哲學的，因為人的本性在很多方面受到約束，所以錫孟尼德[1]說「只有神能有這個特權」，人應當守本分，不宜求知分外的事情。如果真像詩人所說的那樣，神是生性嫉妒的，

1　錫孟尼德（Simonides）（約公元前556—公元前467），抒情詩人。

大概人就應當安分守己了，在哲學上出類拔萃的人就要倒楣了。可是常言道「詩人多謊」，神不可能是嫉妒的，我們也想不出哪門學問比哲學更可貴。因為最神聖的學問也是最可貴的，而從兩個方面看，只有哲學才最神聖。因為最適於神具有的學問是神聖的學問，研究神聖對象的學問也是神聖的學問，而這兩種資格哲學都具備。因為（1）神被認為是萬物的原因，而又是本原；（2）哲學這門學問，要麼是只有神才能具有，要麼是首先為神所具有。其它的科學雖然比哲學更必需，卻沒有一門比哲學更優越。

然而在某個意義上，哲學研究最後得到的結果卻與那些早期的探索相反。因為正像上面說過的那樣，所有的人都是以驚異開始的，他們感到奇怪，事情居然會是那樣，如木偶會自己動，太陽到了冬至和夏至會往回移動，正方形的對角線會與邊不能通約。在一個尚未看出原因的人看來，有一個數量用最小的單位都除不盡，是很奇怪的。可是我們得到的結果卻是不惑，而且像諺語說的那樣，「知優於惑」。人們知道了上面那些事情的原因之後也是這樣的，幾何學家弄清對角線不可約之後就毫不驚奇了。

這就說明了我們所研究的這門學問的本性是什麼，以及我們的研究和全部考察必須達到的目標是什麼。

（節選自〔古希臘〕亞里斯多德《形而上學》，《西方哲學原著選讀》上卷，商務印書館 1982 年版）

編選說明 ●●●

亞里斯多德（Aristotle，前 384—前 322 年），古希臘最偉大的哲學家、科學家和教育家之一。師承柏拉圖。一生勤奮治學，所從事的學術研究涉及邏輯學、修辭學、物理學、生物學、教育學、心理學、政治學、經濟學、美學、博物學等領域，寫下大量著作，如《工具論》、《形而上學》、《物理學》、《政治學》、《詩學》等。他的著作是古代世界的百科全書，對後世產生深遠影響。恩格斯稱他是「最博學的人」。

本文選自亞里斯多德的著作《形而上學》。文中，亞里斯多德認為，哲學並不是一門生產知識，而是「唯一的一門自由的學問」。研究哲學的目的就是為了追求智慧、擺脫無知，而不是為了實用。其它的學科雖然比哲學更必需，卻沒有一門比哲學更優越。哲學就是給人以智慧，使人聰明的學問。亞里斯多德關於哲學本性的認定，對後世產生巨大的影響。

霍布斯

哲學是為人生謀福利的

哲學的目的或目標，就在於我們可以利用先前認識的結果來為我們謀利益，或者可以通過把一些物體應用到另一些物體上，在物質、力量和工業所許可的限度之內，產生出類似我們心中所設想的那些結果，來為人生謀福利。因為一個人可以由通曉某種疑難的事體或者發現某種深奧的真理而得到的那種內心的光榮與勝利，是抵不過研究哲學所需要的那麼多氣力的；一個人如果覺得獲得知識就是他的勞動僅有的益處，那他也用不著老惦記著把自己知道的東西告訴別人了。知識的目的是力量，應用定理（幾何學家是用定理來發現特性的）是為了建立問題，最後，全部思辨的目標乃是實行某種活動，或者使事情做成。

什麼是哲學的效用，特別是自然哲學和幾何學的效用，我們總計一下人類所能得到的主要利益，比較一下享受這些利益的人的生活方式與另一些沒有這些享受的人的生活方式，就可以得到最好的瞭解。人類最大的利益，就是各種技術，亦即衡量物質與運動的技術，推動重物的技術，建築術，航海術，製造各種用途的工具的技術，計算天體運動、星辰方位、時間部分的技術，地理學的技術，等等。憑藉這些科學人們所獲得的利益有多大，瞭解起來要比表示出來更容易。差不多所有的歐洲人、大多數亞洲人、一部分非洲人都享受了這些利益，不過美洲人以及住在南北極附近的人，則完全沒有享受這些利益。為什麼呢？難道是他們比這些人智慧更高？不是一切人都具有同一種靈魂、同樣的心靈能力嗎？那麼，除了哲學，還有什麼東西造成這種分別呢？所以，哲學是這一切利益的原因。

（節選自〔英〕霍布斯《論物體》，《西方哲學原著選讀》上卷，商務印書館 1982 年版）

編選説明 ●●●

湯瑪斯・霍布斯（Thomas Hobbes，1588—1679），17 世紀英國政治家、思想家、哲學家。他創立了機械唯物主義的完整體系，認為宇宙是所有機械運動著的廣延物體的總和。他繼承了弗蘭克林・培根的唯物主義經驗論的觀點，但把邏輯的思維看做是觀念的加或減的機械運算，認為幾何學和力學是科學思維的理想楷模。他力圖以機械運動原理解釋人的情感、欲望，從中尋求社會動亂和安寧的根源。著有《論物體》、《利維坦》等。

本文節選自霍布斯的著作《論物體》，主要反映的是他關於哲學目的的重要思想。他在文中明確指出，哲學的目的就在於我們可以利用已有的認識成果來為人生謀福利。他重提哲學的實用目的，乃是為了反對經院哲學家的謬論。繼培根之後，霍布斯進一步向人們揭示了科學知識的巨大的社會功能，顯示了新興資產階級的蓬勃朝氣。不過霍布斯所說的「哲學」，實際是指由各門具體科學總匯而成的知識體系，這與後來分離出來的「哲學」不同。

黑格爾

哲學史開講辭

我所講授的對象是哲學史。而今天我又是初次來到本大學，所以請諸位讓我首先說幾句話，就是我特別感到愉快，恰好在這個時機我能夠在大學裏面重新恢復我講授哲學的生涯。因為這樣的時候似乎業已到來，即可以期望哲學重新受到注意和愛好，這門幾乎消沉的科學可以重新揚起它的呼聲，並且可以希望這個對哲學久已不聞不問的世界又將傾聽它的聲響。時代的艱苦使人對於日常生活中平凡的瑣屑興趣予以大大的重視，現實上很高的利益和為了這些利益而作的鬥爭，曾經大大地佔據了精神上一切的能力和力量以及外在的手段，因而使得人們沒有自由的心情去理會那較高的內心生活和較純潔的精神活動，以致許多較優秀的人才都為這種艱苦環境所束縛，並且部分地被犧牲在裏面。因為世界精神太忙碌於現實、所以它不能轉向內心，回覆到自身。現在現實的這股潮流既然已經打破，日爾曼民族既然已經從最惡劣的情況下開闢出道路，且把它自己的民族性——一切有生命的生活的本源——拯救過來了：所以我們可以希望，除了那吞併一切興趣的國家之外，教會也要上陞起來，除了那為一切思想和努力所集中的現實世界之外，天國也要重新被思維到，換句話說，除了政治的和其它與日常現實相聯繫的興趣之外，科學、自由合理的精神世界也要重新興盛起來。

我們將在哲學史裏看到，在其它歐洲國家內，科學和理智的教養都有人以熱烈和敬重的態度在從事鑽研，唯有哲學，除了空名字外，卻衰落了，甚至到了沒有人記起，沒有人想到的情況，只有在日爾曼民族，哲學才被當作特殊的財產保持著。我們曾接受自然的較高的號召去作這個神聖火炬的保持者，如同雅典的憂摩爾披德族是愛留西的神秘信仰的保持者，又如薩摩特拉克島上的居民是一種較高的崇拜儀式的保存者與維持者，又如更早一些，世界精神把它自己最高的意識保留給猶太民族，使它自己作為一個新精神從猶太民族裏產生出來（我們現在一般的已經達到這樣一種較大的熱忱和較高的需要，即對於我們只有理念以及經過我們的理性證明了的事物才有效準——確切點說，普魯士國家就是這種建築在理智上的國家）。但是像前面所提到的時代的艱苦和對於重大的世界事變的興趣也曾經阻遏了我們深徹地和熱誠地去從事哲學工作，分散了我們對於哲學的普遍注意。這樣一來堅強的人才都轉向實踐方面，而淺薄空疏就支配了哲學，並在哲學裏盛行一時。我們可以說，德國自有哲學以來，哲學這門科學的情況看起來從來沒有像現在這樣壞過。空洞的詞句、虛驕的氣焰從來沒有這樣飄浮在表面上，而且以那樣自高自大的態度在這門科學裏說出來做出來，就好像掌握了一切的統治權一樣。為了反對這種淺薄思想而工作，以日爾曼人的嚴肅性和誠實性來工作，把哲學從它所陷入的孤寂境地中拯救出來——去從事這樣的工作，我們可以認為是接受時代的較深精神的號召。讓我們共同來歡迎這一個更美麗的時代的黎明。在這時代裏，那前此向外馳逐的精神將回覆到它自身，得到自覺，為它自己固有的王國贏得空間和基地，在那裏，人的性靈將超脫日常的興趣，而虛心接受那真的、永恆的和神聖的事物，並以虛心接受的態度去觀察並把握那最高的東西。

我們老一輩的人是從時代的暴風雨中長成的，我們應該贊羨諸君的幸福，因為你們的青春正是落在這樣一些日子裏，你們可以不受擾亂地專心從事於真理和科學的探討。我曾經把我的一生貢獻給科學，現在我感到愉快，因為我得到這樣一個地方，可以在較高的水準，在較廣的範圍內，與大家一起工作，使較高的科學興趣能夠活躍起來，並幫助引導大家走進這個領域。我希望我能夠值得並贏得諸君的信賴。但我首先要求諸君只需信賴科學，信賴自己。追求真理的勇氣和對於精神力量的信仰是研究哲學的第一個條件。人既然是精神，則他必須而且應該自視為配得上最高尚的東西，切不可低估或小視他本身精神的偉大和力量。人有了這樣的信心，沒有什麼東西會堅硬頑固到不對他展示。那最初隱蔽蘊藏著的宇宙本質，並沒有力量可以抵抗求知的勇氣；它必然會向勇毅的求知者揭開它的秘密，而將它的財富和寶藏公開給他，讓他享受。

（〔德〕黑格爾著，賀麟等譯《哲學史開講辭》，《哲學史演講錄》第1卷，商務印書館 1959 年版）

編選說明 ●●●

格奧爾格．威廉．弗里德里希．黑格爾（Georg Wilhelm Friedrich Hegel，1770—1831），19 世紀德國古典哲學家。杜賓根大學哲學博士。1830 年任柏林大學校長。他的哲學的基本出發點是唯心主義的思維與存在同一論（亦稱「思有同一說」），精神運動的辯證法以及發展過程的正反合三段式。他是歐洲哲學史上客觀唯心主義的集大成者，自覺地、全面地、系統地發展了辯證法。黑格爾的哲學成為馬克思主義哲學的理論來源之一。

黑格爾把畢生都獻給了哲學的開創和研究。這裏所選的是黑格爾於 1816 年 10 月 28 日在海德堡大學講授哲學史的開講辭。在這篇演講中，黑格爾全面地闡述了哲學對人類精神的影響，論述了對待哲學的態度和研究哲學的方法，強調了學術研究是獨立於日常事務之外去追求事物的本質，並鼓勵青年們要信賴科學，勇於追求真理，造福人類。

柏格森

哲學的直覺

……有這樣一種哲學觀，它要求哲學家盡一切努力將各門具體科學的成果囊括在一個大綜合之中。誠然，長期以來，哲學家確是那種有著普遍知識的人。而且甚至在今天，儘管有眾多的各門具體科學，有複雜多樣的方法，有廣搜博採的大量事實，已使集一切人類知識於一身的做法成為不可能，但在下面這個意義上，哲學家依然是那種有普遍知識的人，即他雖已不再可能無所不知，卻仍可無所不學。但是，是否由此就必然得出結論說，哲學家的任務在於掌握現有科學，不斷提高其普遍性的程度，經過不斷凝聚，而達到知識的統一呢？恕我認為，這種以科學的名義，出於尊重科學而提出的哲學觀是荒誕的。在我看來，再沒有別的東西比這種觀點更冒犯科學和傷害科學家了。我們可以假定這裏有一個人，他在很長時間裏一直遵循某種科學方法並辛辛苦苦地取得了成果。他對我們說：這些成果是經驗加上推理之助帶來的；科學知識始於經驗，而終於由此得來的結果。這便是我的結論。而哲學家也許有權回答說：「好，把科學知識交給我吧，看我拿它能搞出什麼來！你給我的知識並不完全，我來完成它。你給我的東西零零碎碎，我來彙集它。以同樣的材料（因為我也得依靠你所看到的事實）、同樣的工作（因為我也像你一樣只能運用歸納和演繹），我會比你做得更多更好。」真是不可思議的自命不凡！哲學的職業怎麼可能使一個搞哲學的人有這樣的能力，在同一方向上比科學走得更遠呢？有些科學家比別人更傾向於向前迅進，把他們得到的結果普遍化，他們也更傾向於回過頭來批判自己的方法。在哲學家一詞的這個特定意義上，我們應當稱他們為哲學家，而且每門科學都可以而且應該有自己的這種意義上的哲學。對此我第一個表示贊同。但這種特定的哲學依然是科學，搞這種學問的人也依然是科學家。與以前不同，這樣就不再存在把哲學作為實證科學的綜合的問題了，不再存在依靠哲學家一己之心力，由同一事實的概括而凌駕科學之上的問題了。

認為哲學有如此的功能，這種看法對科學是不公平的，而對哲學來說，則尤為不公平！科學家之所以在某點上停止概括和總結，是由於客觀經驗和嚴格推理不容許我們再越過一步，這難道不是很明顯的嗎？因此要我們在這裏繼續向前，那豈不是存心要置我們自己於武斷，或至少是臆想的境地嗎？把哲學看成超越科學概括的許多定理通則的總和，就是認為哲學家應滿足於似是而非的東西，對他來說或然性就足夠了。我很清楚，在大多數對我們的討論保持一定距離的人看來，我們討論的領域實際上僅僅是一種可能，或至多是一個具有或然性的領域。他們很想說，哲學是在失掉確定性的地方開始的。我們中間有誰願意讓哲學處於這種境地呢？固然在哲學中，不是任何東西都同等地被證實或可被證實的，而哲學方法本質就在於要求在許多地方，許多時候，人應該冒險。但是哲學家之所以冒險，只是因為他已成竹在胸，是因為他覺得有些東西是確然無疑的，他要使我們也能確信到這樣的程度，以致他可以把作為其力量源泉的直覺傳達給我們。

……科學的規則就是培根所定的那條規則：服從自然是為了支配自然。哲學家既不服從也不發號施令；他尋求的是同自然相一致。而且從這種觀點看，哲學的本質就是簡單性的精神。無論我們是從哲學本身還是從其作品來思考哲學的精神，無論我們拿哲學同科學作比較還是拿一種哲學同其它哲學作比較，我們總會發現任何複雜性都是膚淺的，構造是純粹的附屬品，綜合乃是一種假象。哲學的活動是一種簡單的活動。

（節選自〔法〕柏格森《哲學的直覺——在波倫亞哲學會議上的演講》，《現代西方哲學論著選讀》，北京大學出版社 1992 年版）

編選說明 •••

亨利·柏格森（Henri Bergson，1859—1941），法國哲學家，生命哲學和直覺主義的代表。歷史上不少哲學家都重視直覺，但到 20 世紀初才真正形成一種學說或思潮，而柏格森以及克羅齊、胡塞爾等是典型的直覺主義者。直覺主義是柏格森哲學的一個中心問題。其在本質上是反理性的、反科學的。但它對後來的人本主義思潮各流派都有重大的影響，對當前科學主義思潮中的一些流派，如波普爾的批判理性主義，庫恩的歷史主義等都有明顯的影響。

本文節選自柏格森的《哲學的直覺——在波倫亞哲學會議上的演講》。文中，柏格森認為：哲學的研究對象和自然科學不同，自然科學是研究外在的僵死的物質，所以它是可以用概念、判斷等理性形式加以研究的。哲學研究是宇宙的本質、真正的實在，這種本質、實在是一種生生不息、運動不休的「綿延」、「生命之流」。因而理性、科學的理智的認識是不能認識這種宇宙的本質的。它只有通過一種內在的體驗，一種神秘的直覺方可把握。

波普爾

我不怎樣看待哲學

在這一節我將列舉一些哲學觀點和活動，這些觀點和活動典型地代表了我所不滿的那種哲學。這一節可以題為「我不怎樣看待哲學」〔How I Do Not See Philosophy〕。

1.我不把哲學看成是為瞭解決語言迷惑，雖然消除誤解有時是一種必不可少的預備工作。

2.我不把哲學看成是一系列藝術作品，也就是說，我不把哲學看成是一些驚人而有獨創性的世界圖畫，或者是對世界的機敏而奇異的描繪。我認為，如果我們用這種方式看待哲學，那麼我們就對偉大的哲學家很不公正。那些偉大的哲學家並不肩負著美學追求。他們並不想當精心構思體系的建築師，而是像偉大的科學家一樣，他們首先是真理的尋求者，即尋求真正問題的真正解決。我認為，哲學史從根本上講是追求真理的歷史的一部分，我反對把哲學當作純粹的美學，儘管美在哲學中和在科學中一樣重要。

我完全贊成在理智上的大膽探索。我們不能同時既當理智的懦夫又當真理的尋求者。一個真理的尋求者一定要敢於顯示智慧，他一定要敢於成為思想領域的革命家。

3.我不把哲學體系的漫長歷史看成是一座理智大廈，在這座大廈裏所有的可能觀念都一試身手，而真理也許只是一種副產品偶露光芒。我認為，歷史上的每一個真正偉大的哲學家一旦確信，他的體系儘管輝煌壯觀，但是沒有接近真理一步，他就會拋棄體系（就像他所做過的那樣）；誰要對此有片刻懷疑，誰就是對他們不夠公平（順便說一句，這就是我為什麼不把費希特和黑格爾看作真正哲學家的原因：我不相信他們把自己獻身給了真理）。

4.我不把哲學看成是一種澄清、分析和「引申」〔explicate〕概念、字詞和語言的努力。

概念或詞語僅僅是表述命題、猜測和理論的工具。概念或詞語本身不可能真，它們僅僅為人類描述和論證的語言服務。我們的目的不應該是分析意義〔meanings〕，而應該是尋求有益和重要的真理，也就是說尋求真正的理論。

5.我不把哲學看成是一種顯示聰明的方式。

6.我不把哲學看成是一種智力療法（維特根斯坦這樣看），一種幫助人們走出哲學窘境的活動。在我看來，維特根斯坦（在他後期的著作裏）並沒有讓蒼蠅看到從瓶中飛出的途徑。相反，我倒從無法從瓶中逃遁的蒼蠅身上看到了一幅維特根斯坦的觸目的自畫像（維特根斯坦是維特根斯坦學派的一個實例，正如佛洛德是佛洛德學派的一個實例一樣）。

7.我不把哲學看成是對如何更精確或更準確表達事物的研究。精確性和準確性其本身並沒有智力價值，我們決不應該追求超過問題本身所要求的精確性或準確性。

8.因此，我不把哲學看成是為解決最近或較遠的未來所可能出現的問題而提供基礎或概念框架的一種努力。約翰・洛克〔John Locke〕

正是這樣做的，他想寫一部關於倫理學的著作，他認為首先必不可少的就是提供概念方面的預備條件。

他的著作（指《人類理解論》〔Treatise conerning Human Understanding〕）就是由這些預備性的條件構成的，從此英國哲學（僅有少數例外，例如休謨的一些政治論文）就一直陷入這些預備性條件的泥淖之中。

9.我也不把哲學看成是一種時代精神的表現。時代精神是黑格爾的觀念，它經受不住批評。在哲學中有時尚，正像在科學中一樣。但是一個真正探索真理的人不會去追隨時尚，他不但不相信時尚甚至會反抗時尚。

（節選自〔奧〕波普爾著，范景中等譯《我怎樣看待哲學》，《通過知識獲得解放》，中國美術學院出版社 1996 年版）

編選說明 ●●●

卡爾・波普爾（Karl Raimund Popper，1902—1994年），20世紀世界最著名的學術理論家、哲學家之一，在社會學上亦有建樹。作為批判理性主義的創始人，其最著名的理論在於對經典的「觀測—歸納法」的批判，提出以實驗中證偽的評判標準來區別「科學的」與「非科學的」，因而其理論又被稱為「證偽主義」。在政治上，他擁護民主和自由主義，並提出一系列社會批判法則，為「開放社會」奠定理論根基。

本文節選自波普爾的文章《我怎樣看待哲學》。波普爾將其科學理論上的證偽原則，運用到為哲學理論的辯護上。文中，波普爾列舉了 9 條代表他所不滿的相關哲學觀點和哲學活動。如，哲學不是為瞭解決語言迷惑、哲學不是純粹的美學、哲學體系不是一座理智大廈、哲學不是一種顯示聰明的方式等等。基於此，他強調：哲學的目的就在於對那些流行的常識性理論進行「批判性的考察」，從而獲得真正的理論。

王國維

論哲學家與美術家之天職

天下有最神聖、最尊貴而無與於當世之用者，哲學與美術是已。天下之人囂然謂之曰「無用」，無損於哲學、美術之價值也。至為此學者自忘其神聖之位置，而求以合當世之用，於是二者之價值失。夫哲學與美術之所志者，真理也。真理者，天下萬世之真理，而非一時之真理也。其有發明此真理（哲學家），或以記號表之（美術）者，天下萬世之功績，而非一時之功績也。唯其為天下萬世之真理，故不能盡與一時一國之利益合，且有時不能相容，此即其神聖之所存也。且夫世之所謂有用者，孰有過於政治家及實業家者乎？

世人喜言功用，吾姑以其功用言之。夫人之所以異於禽獸者，豈不以其有純粹之知識與微妙之感情哉？至於生活之欲，人與禽獸無以或異。後者政治家及實業家之所供給，前者之慰藉滿足，非求諸哲學及美術不可。就其所貢獻於人之事業言之，其性質之貴賤，固以殊矣。至就其功儆之所及言之，則哲學家與美術家之事業，雖千載以下，四海以外，苟其所發明之真理，與其所表之之記號之尚存，則人類之知識感情由此而得其滿足慰藉者，曾無以異於昔。而政治家及實業家之事業，其及於五世十世者希矣。此又久暫之別也。然則人而無所貢獻於哲學、美術，斯亦已耳，苟為真正之哲學家、美術家，又何慊乎政治家哉！

披我中國之哲學史，凡哲學家無不欲兼為政治家者，斯可異已！孔子大政治家也，墨子大政治家也，孟、荀二子皆抱政治上之大志者也。漢之賈、董，宋之張、程、朱、陸，明之羅、王無不然。豈獨哲學家而已，詩人亦然。「自謂頗騰達，立登要路津。致君堯舜上，再使風俗淳。」非杜子美之抱負乎？「胡不上書自薦達，坐令四海如虞唐。」非韓退之之忠告乎？「寂寞已甘千古笑，馳驅猶望兩河平。」非陸務觀之悲憤乎？如此者，世謂之大詩人矣。至詩人之無此抱負者，與夫小說、戲曲、圖畫、音樂諸家，皆以侏儒倡優自處，世亦以侏儒倡優畜之。所謂「詩外尚有事在」，「一命為文人，便無足觀」，我國人之金科玉律也。嗚呼！美術之無獨立之價值也久矣。此無怪歷代詩人，多托于忠君愛國、勸善懲惡之意，以自解免，而純粹美術上之著述，往往受世之迫害而無人為之昭雪者也。此亦我國哲學、美術不發達之一原因也。

夫然，故我國無純粹之哲學，其最完備者，唯道德哲學，與政治哲學耳。至於周、秦、兩宋間之形而上學，不過欲固道德哲學之根柢，其對形而上學非有固有之興味也。其於形而上學且然，況乎美學、名學、知識論等冷淡不急之問題哉！更轉而觀詩歌之方面，則詠史、懷古、感事、贈人之題目彌滿充塞於詩界，而抒情、敘事之作什佰不能得一。其有美術上之價值者，僅其寫自然之美之一方面耳。甚至戲曲、小說之純文學亦往往以懲勸為旨。其有純粹美術上之目的者，世非惟不知貴，且加貶焉。於哲學則如彼，如美術則如此，豈獨世人不具眼之罪哉，抑亦哲學家、美術家自忘其神聖之位置與獨立之價值，而蒽然以聽命於眾故也。

至我國哲學家及詩人所以多政治上之抱負者，抑又有說。夫勢力之欲，人之所生而即具者，聖賢豪傑之所不能免也。而知力愈優者，其勢力之欲也愈盛。人之對哲學及美術而有興味者，必其知力之憂者也？故其勢力之欲亦準之。今純粹之哲學與純粹之美術既不能得勢力於我國之思想界矣，則彼等勢力之欲，不於政治，將於何求其滿足之地乎？且政治上之勢有形的也，及身的也；而哲學美術上之勢力，無形的也，身後的也。故非曠世之豪傑，鮮有不為一時之勢力所誘惑者矣。雖然，無亦其對哲學美術之趣味有未深，而於其價值有未自覺者乎？今夫人積年月之研究，而一旦豁然悟宇宙人生之真理，或以胸中惝恍不可捉摸之意境一旦表諸文字、繪畫、雕刻之上，此固彼天賦之能力之發展，而此時之快樂，決非南面王之所能易者也。見此宇宙人生而尚如故，則其所發明所表示之宇宙人生之真理之勢力與價值，必仍如故。之二者，所以酬哲學家、美術家者，固已多矣。若夫忘哲學、美術之神聖，而以為道德、政治之手段者，正使其著作無價值者也。願今後之哲學美術家，毋忘其天職，而失其獨立之位置，則幸矣！

（王國維《論哲學家與美術家之天職》，《王國維文選》，四川文藝出版社 2009 年版）

編選說明 ●●●

王國維（1877—1927），浙江海寧人，清末秀才。中國近現代在文學、美學、史學、哲學、古文字、考古學等各方面成就卓著的學術鉅子，國學大師。是近代中國最早運用西方哲學、美學、文學觀點和方法剖析評論中國古典文學的開風氣者，又是中國史學史上將歷史學與考古學相結合的開創者，確立了較系統的近代標準和方法。生平著述 62 種，批校的古籍逾 200 種。被譽為「中國近三百年來學術的結束人，最近八十年來學術的開創者」。

本文發表在 1905 年的《教育世界》上，篇幅不長，但在王國維的哲學和美學思想的發展中佔有重要地位。文中，他把純粹的哲學和純粹的美學並列，認為他們都是提高人類精神生活的手段。兩者有一個共同的目標，那就是追求宇宙人生的真理，但其作用又有所不同。哲學的作用是「發明此真理」，追求「純粹之知識」；美術的作用是「以記號表之」，表達「微妙之感情」。哲學和美術均被視為無用，其實所謂無用正是它們的大用所在。

馮友蘭

哲學與人生之關係（二）

哲學是一個很古的名詞，有長久的歷史，因此，哲學這個名詞的意義，也就有了很多。大概說起來，哲學有廣狹二義。

就廣義的哲學說，我們人人都有哲學，並且全是哲學家。我們對於宇宙，或是人生，都有我們自己的見解，自己的意見。多數哲學問題，無論哪個人，對之都有他的相當的答案。我們在路上遇著一個人，問他一個哲學上的問題：究竟有上帝沒有？他若說有，他就是有神論者；若說沒有，他就是無神論者；如果他對於有無上帝都懷疑，那麼他就是懷疑論者；他要說他不研究這個問題，他就是存疑論者。這不是各個人都有他自己的哲學嗎？從前有人說：如果打仗，必得先知敵人的軍隊有多少，但是比這個更要緊的，就是先知道敵人的總司令的哲學是什麼，那才不至於上當，打敗仗。如果你交了一個主張楊朱哲學的朋友，那麼他一天吃喝玩樂，鬧得你是不得安寧。至於結婚，更要注意到對方的哲學，才能夠有美滿的結果呢。王陽明的學生有一天到街上去，回來之後，王陽明問他：你看見什麼了？他說：看見滿街上是聖人。照以上所說，也可以說，滿街上都是哲學家了。這是就廣義的哲學說。

若就狹義的哲學說，每一哲學系統有兩部分，一部分是斷案或結論，一部分是前提和辯論。就像前面說的那個人，你問他：你說有上帝，究竟何以見其有？那恐怕他就不知道了。他是只有斷案，而沒有前提。這是專門哲學家和普通人不同的地方。主張有神論的專門哲學家，不但說上帝有，還得說何以見其有。主張無神論的專門哲學家，不但說沒有，還得說上帝何以見其沒有。

哲學在教育上的功用，照我的意思有四種，分述於後：

1.學哲學可以養成清楚的思想。專門哲學家對於一種問題，有他的答案，並且還有所以達到此答案的前提。學哲學的人看了他的答案和前提，除得到新知識外，還可隨著他推理辯證，思想就可以漸漸的清楚。哲學書總是不容易看的，非看到哪裏，想到哪裏，不能懂得。中國人從前主張咬文嚼字，看哲學書也得咬文嚼字，不過從前偏重於修辭方面。如果注意到義理方面，看書咬文嚼字是很有益處的。

2.哲學可以養成懷疑的精神。學哲學的人，可以看出哲學與其它的學問有點不同，就是哲學上有多數的問題，都有相反的答案。如對於上帝的存在問題，就有許多的答案，全都是持之有故，言之成理。我們常讀哲學書，可以減少我們武斷和盲從的習慣。我並不是說一定沒有絕對的真理。如我們作一命題，與真實相合，那命題就是真理，真理有成立的可能。不過我們所作之命題究竟是不是與真理相合，很難決定而已。但是有人說：如果人持著懷疑態度，對於無論什麼事情，都不能辦了。但是不一定如此。我們不一定對於一個理論有了宗教般的信仰，然後再來實行它。

3.學哲學可以養成容忍的態度。哲學裏面的派別很多，而且每派對於他的主張全持之有故，言之成理。我們對於事物研究了一番之後，雖可自有主張，但也不能說別人的學說完全不對，一概可以抹殺。世上的悲劇，有許多是由於人之無容忍態度造成的。像西洋的宗教戰爭是也。我們應當知道宇宙是多方面的，不是一方面的，人因其觀點不同，故所見亦異。人人都有容忍的態度，才易互相調和，不易有什麼衝突。民治主義的精神也在此，少數服從多數之理由也在此。

4.學哲學可以養成廣大的眼界。哲學的對象是宇宙的全體。由宇宙的觀點看起來，所謂人世間，可以說小到不可言喻了。有一故事說：美國有一個飛行家，坐著飛機飛出了地心引力以外去了，看見了一個神仙，他就問：某城在什麼地方？那神仙說：不知道。他又問：美國在什麼地方？神仙答：沒有聽說過。他又問：亞美利加洲在什麼地方？神仙說：也不知道。又問：地球在什麼地方？神仙也說：不知道。最後他問：太陽系在什麼地方？神仙說：等著我給你查一查。就拿一張圖，看見有一個小點，旁邊寫著太陽系三字，才知道太陽系在宇宙中也不過是一小點，何況小而又小的某城呢。從宇宙的觀點看，人世間的成敗禍福，皆無可注意的。能有這種眼界者，即如《莊子》上所說：「死生無變於一己，而況利害之端乎？」如果人人能夠如此，世界上爭權奪利的悲劇，或者可以少演幾次吧！有人說：如果人人都照這種觀點看起來，恐怕人類就沒有了，沒有人類，或者還許更好，也未可知。不過按一方面說，我們要有這種眼界，不但可以做事，而且更能做事。如果未曾在臺上講演過的人，初次上臺講演，恐怕有錯誤的地方，但是愈怕有錯，錯處更多。如人做事恐怕失敗，但是愈怕失敗，他是愈失敗。如他能視成功失敗為無關重要，他的成功的希望，還可更大一點。

（馮友蘭《哲學與人生之關係（二）》，《中國哲學的精神——馮友蘭

文選》下冊，國際文化出版公司 1998 年版）

編選說明 ●●●

馮友蘭（1895—1990），河南南陽人，中國當代著名哲學家、教育家。從 1939 年到 1946 年 7 年間，馮友蘭連續出版了六本書，稱為「貞元之際所著書」：《新理學》（1937）、《新世訓》（1940）、《新事論》（1940）、《新原人》（1942）、《新原道》（1945）、《新知言》（1946）。通過「貞元六書」，馮友蘭創立了新理學思想體系，由此奠定了他作為「現代新儒家」的地位，成為繼往開來，具有國際聲譽的一代哲人。

什麼是哲學？面對這樣的追問，馮友蘭在文中指出：哲學有廣義和狹義之分，廣義上講，人人對於宇宙和人生都有自己的見解與意見，人人都有哲學；而狹義的哲學則指包括了前提和結論兩部分的專門學問。他認為哲學在教育上有四種功用：即「養成清楚的思想」、「養成懷疑的精神」、「養成容忍的態度」和「養成廣大的眼界」。哲學，就是對人生有系統的反思。這是馮友蘭對於哲學的總的看法。

張岱年

愛智

愛智，是古希臘文中哲學的本義，然實亦是一切哲學之根本性質。

我們想知道哲學的含義，實莫若吟味「愛智」二字。愛智即對智慧發生愛慕之情，追求不已，以之為生命，即為之犧牲，亦在所不惜。

孔子言「朝聞道，夕死可矣」，蘇格拉底自稱無知，而不惜為真知而死。這都是愛智之典型。荀子之言「解蔽」，亞里斯多德之所謂「吾愛吾師，吾尤愛真理」，也都是愛智之表現。

真正的哲學家，莫不真切地愛智。哲學派別極多，各家面目迴異，然均不違乎愛智。即如莊子，雖嘗以知為兇器，但亦極力求真知。

哲學家因愛智，故決不以有知自炫，而常以無知自警。哲學家不必是世界上知識最豐富之人，而是深切地追求真知之人。哲學家常自疑其知，虛懷而不自滿，總不以所得為必是。凡自命為智者，多為詭辯師。

愛智，換言之，即對事物「深察不已」察而又察，不以已察者為滿足，而更審察之。惟其為深察不已，故或欲深入實際，不以表面的知識自滿；或欲審勘、衡量一切科學之根本假設，釐清一切科學之根本概念與命題。

深察不已，即察而復察其察，這就產生了知識論，古代哲人對此作了長期探索。

博若德（C. D・Broad）分哲學為二種：玄想哲學與批評哲學。此二種哲學的性質雖不相同，但亦有共同之點，即均有深察不已的表現。玄想哲學欲深入客觀實在，其目的在於「究其極以通萬殊」，不以表面的部分的知識為滿足，而欲考察客觀實在於其全體。批評哲學則以為只憑思辨不足以探勘實相，故以深勘實相之事讓於實驗科學，而自以衡核科學之根本概念為任務。二者固同出愛智一念，而衡核一切科學之根本概念，更表現了深察不已之精神。

哲學是愛智，故只要人類愛智之心不亡，則哲學必然不亡。世界之事物，繁賾至極，總常有具體科學所未及探索的問題，此種問題亦即哲學所取而討論的。此種問題常有，故哲學常有。

常人如發生真切愛智之心，便會對哲學問題發生興味。科學家如作進一步的深察而注意根本究竟的問題，便會成為哲學家。

愛智固是一切哲學之根本性質，但哲學家亦常有部分地違此性質者，常變愛智為炫智。在愛情上，常由愛而轉為佔有；哲學家之愛智亦然，常由愛智轉而為佔有智，自謂惟彼研究所得為真知，其它一切俱非真知，唯他一人是真知之佔有者。更有偏好立異者，以建立獨特系統為能事，殫精竭思，惟求自異於眾，而不肯承受他人已經發現之真理。實則誠如莊子所說：「以出乎眾為心者，豈出乎眾哉？」

我國兩千年來哲學進步之遲緩，由於各哲學家不能純以愛智為心者不少。此實今後治哲學者之所當戒。

哲學之進步，繫於哲學家愛智之程度。

哲學家們能純乎愛智，則哲學進；哲學家們不能純乎愛智，則所言常只是戲論。

（張岱年《愛智》，《宇宙與人生》，上海文藝出版社 1999 年版）

編選說明 •••

張岱年（1909—2004），中國現代著名的哲學家，哲學史家，國學大師。他於 1935 至 1936 年間寫就的《中國哲學大綱》，以其較高的學術品位為學界所公認。1942 至 1944 年間，他以振奮民族精神為己任，先後著成《哲學思維論》、《知實論》、《事理論》和《品德論》等書稿，分別論述了對立統一規律、形式邏輯定律、唯物論和人生觀，初步形成了自己的一個完整的哲學結構。晚年，重新闡釋「綜合創新論」，得到了學界的普遍贊同。

本文是張岱年一篇專以愛智慧來詮釋哲學性質的文章，於 1933 年發表在天津《大公報・世界思潮》上。文章開宗明義指出：愛智是一切哲學的根本性質。他通過列舉中外哲學史上許多偉大哲學家的言行，由此得出「真正的哲學家，莫不真切地愛智」這樣的結論。在他看來，「決不以有知自炫，常以無知自警」，這就是「愛智」的真諦。愛智從根本上表現為一種對事物「深察不已」、「察而又察」的精神。這種精神構成哲學的內在生命，也成為哲學進步的根本動力所在。

馮契

化理論為方法、化理論為德行

我在 50 年代提出了「化理論為方法，化理論為德性」這兩句話，用以勉勵自己，也勉勵同學，用意就在於貫徹理論聯繫實際的方針，就是說理論聯繫實際可以從運用理論作方法和運用理論來提高思想覺悟這兩方面著手。我自己也確實是這樣努力的，後來在「文革」中，我的這兩句話多次被批判，但似乎也沒有被批倒。我心裏面也一直認為這兩句話是對的。

哲學理論，一方面要化為思想方法，貫徹於自己的活動、自己的研究領域，另一方面又要通過身體力行，化為自己的德性，具體化為有血有肉的人格。只有這樣，哲學才有生命力，才能夠真正說服人。過去的大哲學家如孔子、墨子都有這種要求，馬克思主義哲學更是要求如此。馬克思主義哲學以實踐作為認識論第一的和基本的觀點，在此基礎上來闡明認識運動的辯證法和客觀現實的辯證法的統一，所以唯物主義的辯證法理論，在本質上是和革命的實踐相統一的。正如馬克思所說：「辯證法對每一種既成的形式都是從不斷的運動中，因而也是從它的暫時性方面去理解；辯證法不崇拜任何東西，按其本質來說，它是批判的和革命的。」按照這樣一種觀點，一切的真正的理論、真正的哲學家、真正的哲學派別，都具有肯定自己又超越自己的品格，是革命的、批判的；它總是把自己看成是相對的、有條件的存在，看成是無限前進運動中的一個環節。

當然，真正有價值的理論作為發展的環節是必要的，因為相對之中有絕對。但是不能夠自封為絕對圓滿，否則，就成了崇拜的偶像，成了封閉的體系，那就要失去生命力。辯證法應該是開放的體系，它把本身的既成形態也看成是暫時的過渡的東西，它不斷地批判自己，期待著後繼者通過它來超過它。如果真正能夠做到如我所說的「化理論為方法，化理論為德性」，那就一定是對既成理論形態抱「通過它並且超過它」的態度。把理論運用於一定的領域作為方法，那就一定會推進理論，有所創新；把理論化為自己的德性，那就有親切感受，理論也就取得了個性化的形態。

就「化理論為方法」說，我主要運用辯證法於中國哲學史研究，貫徹了「哲學是哲學史的總結，哲學史是哲學的展開」的觀點。當我把實踐唯物主義辯證法理論作為研究方法，運用於中國哲學史領域，力求按歷史的本來面目來瞭解它時，很自然地表現為實踐唯物主義辯證法理論在中國哲學的歷史發展進程中展開，同時它又成為中國哲學史的概括和總結。這樣一來，哲學當然就有了一種新的面貌，不僅不同於一般哲學教科書的那種形態，而且具有中國特色、中國氣派，成為中國哲學傳統的有機組成部分。這就是我在化理論為方法方面所做的工作。

同時，要求「化理論為德性」，那就意味著理論不僅是武器、工具，而且本身具有內在價值，體現了人格，表現了個性。化理論為德性，這是一個要克服種種異化現象、刻苦磨煉的過程。儘管中國古代所講的像純金一樣的「聖人」，實際上是沒有的，古代哲學所講的

「內聖外王之道」也從來沒有成為現實，但是，比較一貫地在心口如一、言行一致中體現化理論為德性的真誠，是能夠做到的。真誠地、鍥而不捨地在言論、行動、社會交往中貫徹理論，以至習以成性，理論化為自己內在的德性，成就了自己的人格。當達到這樣一種境界的時候，反映在言論、著作中的理論，就文如其人，成了德性的表現，哲學也就是哲學家的人格。這樣的哲學，就有了個性化的特色，具有德性自證的品格。這樣的哲學理論，當然也就不同於一般教科書的那種形態，而成為一種具有內在價值、富於個性特色的創作。

我當時講「化理論為方法，化理論為德性」，主要是為了理論聯繫實際，但是，如果把它真正付諸踐履，那麼，哲學理論就具有肯定自己而又超越自己的品格，從事哲學理論研究的人也就有可能達到一種新的境界。

（節選自馮契《智慧的探索——〈智慧說三篇〉導論》，《學術月刊》1995 年第 6 期）

編選説明

馮契（1915—1995），著名哲學史家、哲學家、美學家、教育家。曾從學於金岳霖、湯用彤、馮友蘭等。自 20 世紀 40 年代始，在半個多世紀的思想跋涉中，馮契既歷經了西方的智慧之路，又沉潛於中國的智慧長河；在對人類認識史沉思與反省的同時，又伴隨著馬克思主義的洗禮及時代問題的關注。從早年的《智慧》到晚年的《智慧說三篇》，他以始於智慧又終於智慧的長期思考，為中國當代哲學留下了一個創造性的體系。

本文選自馮契的《智慧的探索》。「化理論為方法、化理論為德性」，提出於 20 世紀 50 年代，是馮契哲學思想和理論體系中的核心命題之一，著重強調的是：哲學理論，一方面要化為思想方法，貫徹於自己的活動、自己的研究領域；另一方面又要通過身體力行，化為自己的德性，具體化為有血有肉的人格。馮契提出的這一哲學理念，在當代中國哲學中留下了重要的思想印記。

擴展閱讀•••

1. 黑格爾：《哲學史講演錄》（1—4 卷），賀麟、王太慶譯，商務印書館 1997 年版。
2. 波普爾：《無窮的探索——思想自傳》，福建人民出版社 1987 年版。
3. 馮友蘭：《中國哲學小史》，中國人民大學出版社 2005 年版。
4. 張岱年：《真與善的探索》，齊魯書社 1988 年版。
5. 馬克思：《德意志意識形態》，《馬克思恩格斯選集》第 1 卷，人民出版社 1995 年版。
6. 恩格斯：《路德維希·費爾巴哈和德國古典哲學的終結》，《馬克思恩格斯選集》第 4 卷，人民出版社 1995 年版。
7. 列寧：《唯物主義與經驗批判主義》，《列寧選集》第 2 卷，人民出版社 1995 年版。

8. 孫正聿：《哲學修養十五講》，北京大學出版社 2004 年版。

9. 張天飛、童世駿：《哲學概論》（第 2 版），華東師範大學出版社 2008 年版。

二 ●●● 對世界的思索

赫拉克利特

太陽每天都是新的

（1）我們不能兩次踏進同一條河，它散又聚，合而又分。

（2）踏進同一條河的人，不斷遇到新的水流。靈魂也是從濕氣裏蒸發出來的。

（3）我們踏進又踏不進同一條河，我們存在又不存在。

（4）太陽每天都是新的，永遠不斷地更新。

（5）相反的東西結合在一起，不同的音調造成最美的和諧，一切都是通過鬥爭而產生的。

（6）結合物是既完整又不完整，既協調又不協調，既和諧又不和諧的，從一切產生出一，從一產生出一切。

（7）在變換中得到休息；伺候同樣的主人是疲乏的。

（8）疾病使健康成為愉快，壞事使好事成為愉快，餓使飽成為愉快，疲勞使安息成為愉快。

（9）如果沒有不義，人們也就不知道正義的名字。

（10）在圓周上，終點就是起點。

（11）看不見的和諧比看得見的和諧更好。

（12）「弓」與「生」同名，它的作用卻是死。

（13）赫西阿德是很多人的老師。他們深信他知道得最多，他卻不認識晝和夜。本來就是一回事嘛！

（14）他們不瞭解如何相反者相成：對立的統一，如弓和豎琴。

（15）善與惡是一回事。醫生們用各種辦法割、燒和折磨病人，卻向病人索取報酬。他們完全不配得錢，因為他們起著同病一樣的作用，就是說，他們辦的好事只是加重了病。

（16）壓榨器裏的直紋和曲紋是同一道紋路。

（17）上坡路和下坡路是同一條路。

（18）海水最乾淨，又最髒：魚能喝，有營養；人不能喝，有毒。

（19）驢愛草料，不要黃金。

（20）〔豬〕在污泥中取樂。

（21）豬在污泥中洗澡，鳥在灰土中洗澡。

（22）最美的猴子同人類相比也是醜的。

（23）最智慧的人同神相比，無論在智慧、美麗或其它方面，都像一隻猴子。

（24）在神看來人是幼稚的，正如在成人看來兒童是幼稚的。

（25）最優秀的人寧願取一件東西而不要其它的一切，這就是：寧取永恆的光榮而不要變滅的事物。可是多數人卻在那裏像牲畜一樣狼吞虎嚥。

（26）如果幸福在於肉體快樂，那就應當說，牛找到草吃時是幸福的了。

（27）最可靠的人所認識、所堅持的事情，是可以相信的；正義當然會懂得抓住謊言的製造者和幫同作證者。

（28）人的性格就是他的守護神。

（29）與心作鬥爭是很困難的，因為每一個願望都是以靈魂為代價換來的。

（30）如果一個人的願望都得到了滿足，這對他是不好的。

（節選自〔古希臘〕赫拉克利特《赫拉克利特著作殘篇》，《西方哲學原著選讀》上卷，商務印書館 1982 年版）

編選說明

赫拉克利特（Heraclitus，約公元前 530 年—前 470 年），一位極富傳奇色彩的哲學家。出生於伊奧尼亞地區的愛菲斯城邦的王族家庭。作為辯證法的奠基人之一，他是古代希臘哲學家中第一個用樸素語言講出辯證法要點的人。這裏所選的是赫拉克利特著作殘篇的輯錄。這些短語大都體現了他最出名的哲學思想，即萬事萬物皆流動，客觀事物是永恆運動、變化和發展著的。對此，恩格斯曾評價說：「這個原始的、樸素的但實質上正確的世界觀是古希臘哲學的世界觀，而且是由赫拉克利特第一次明白地表述出來的：一切都存在，同對又不存在，因為一切都在流動，都在不斷地變化，不斷地產生和消失。」赫拉克利特的這些思想閃爍著智慧的光芒，它成為黑格爾哲學的萌芽。

柏拉圖

怎樣認識理念

人應當通過理性，把紛然雜陳的感官知覺集納成一個統一體，從而認識理念。這就是一種回憶，回憶到我們的靈魂隨著神靈遊歷時所見到的一切；那時它高瞻遠矚，超出我們誤以為真實的東西，抬頭望見了那真正的本體[1]。因此我們有理由說，只有哲學家的心靈長著翅膀，因為他時時刻刻盡可能地通過回憶與那些使神成為神的東西保持聯繫。一個正確地運用這種回憶的人，不斷地分享著真正的、完滿的神秘；只有這樣的人才成為真正完善的人。可是他由於漠視人間的利益，一心嚮往神聖的東西，不免受到世俗的非難，被視為癲狂，殊不知他是通靈的。

這種被視為癲狂的人看到下界的美，就回憶到上界真正的美，感到自己羽翼長成，急於展翅高飛，可是又做不到，於是像一隻鳥似的，引首高瞻，不顧下界的事物。

因為一個人的靈魂本來見過那些本體，這是我們已經說過的，如果不是這樣，它就不會進入了人身；但是並非所有的靈魂都能輕而易舉地從塵世的事物回憶到本體，那些只是匆匆瞥見過個體的靈魂辦不到，那些入世以後不幸沾染了塵世的不義、忘掉自己一度見過的神聖

1 指理念。

景象的靈魂尤其辦不到。所以，仍能保持適當回憶的只有少數；這些靈魂在下界見到上界事物[2]的影像[3]時，就驚喜交集，不能自制，卻又不知道所以然，因為它們看不清楚。

正義、智慧以及靈魂所珍視的一切，在它們的地上摹本中是暗淡無光的，只有少數人才通過昏花的感官，艱難地端詳著這些摹本，從其中認出原本來。

（節選自〔古希臘〕柏拉圖《斐德羅》，《西方哲學原著選讀》上卷，商務印書館 1982 年版）

編選說明 ●●●

柏拉圖（Plato，約前 427—前 347），古希臘偉大的哲學家，也是全部西方哲學乃至整個西方文化最偉大的哲學家和思想家之一，他和老師蘇格拉底，學生亞里斯多德並稱為古希臘三大哲學家。作為西方客觀唯心主義的創始人，其哲學體系博大精深，影響深遠。由於「理念」是柏拉圖哲學的核心範疇，因此，他的哲學也被稱為「理念論」。哲學家懷特海甚至說，一部西方哲學史不過是為柏拉圖作注腳而已。

本文選自他的對話錄《斐德羅》，集中反映了他的理念論。柏拉圖認為，世界是由「理念世界」和「現象世界」所組成。理念的世界

2　指理念。

3　指個體事物。

是真實的存在，永恆不變，而人類感官所接觸到的這個現實的世界，只不過是理念世界的微弱的影子，它由現象所組成，而每種現象是因時空等因素而表現出暫時變動等特徵。可知的理念是可感的事物的根據和原因，可感的事物是可知的理念的派生物。由於人的一切知識都是由天賦而來，它以潛在的方式存在於人的靈魂之中。因此，知識不是對物質世界的感受，而是對理念世界的回憶。把事物的本質——理念，與個別事物的分開，並且以理念為存在的根據，這構成了柏拉圖哲學的基本原則。

伽利略

地球在轉動

關於自然規律，到目前為止，一方面有擁護亞里斯多德和托勒密立場的人提出的那些，另一方面還有哥白尼體系的信徒提出的那些。由於哥白尼把地球放在運動的天體中間，說地球是像行星一樣的一個球，所以我們的討論不妨從考察逍遙學派攻擊哥白尼這個假設不能成立的理由開始，看看他們提出些什麼論證，論證的效力究竟多大。

在我們的時代，的確有些新的事情和新觀察到的現象，如果亞里斯多德現在還活著的話，我敢說他一定會改變自己的看法。這一點我們從他自己的哲學論述方式上，也會很容易地推論出來，因為他在書上說天不變等等，是由於沒有人看見天上產生過新東西，也沒有看見什麼舊東西消失，言下之意，他好像在告訴我們，如果他看見了這類事情，他就會作出相反的結論。他這樣把感覺經驗放在自然理性之上是很對的。如果他不重視感覺經驗，他就不會根據沒有人看見過天有變化而推斷天不變了。

如果我們是在討論法律或者古典文學上的一個論點，其中不存在什麼正確和錯誤的問題，那麼也許可以把我們的信心寄託在作者的信心、辯才和豐富經驗上，並且指望他在這方面的卓越成就能使他把他的立論講得娓娓動聽，而且人們不妨認為這是最好的陳述。但是自然科學的結論必須是正確的、必然的，不以人們的意志為轉移的，我們討論時就得小心，不要使自己為錯誤辯護。因為在這裏，任何一個平凡的人，只要他碰巧找到了真理，那麼一千個狄摩西尼和一千個亞里斯多德都要陷於困境。所以，辛普利邱，如果你還存在著一種想法或者希望，以為會有什麼比我們有學問得多、淵博得多、博覽得多的人，能夠不理會自然界的實況，把錯誤說成真理，那你還是斷了念頭吧。

亞里斯多德承認，由於距離太遠，很難看見天體上的情形，而且承認，哪一個人的眼睛能更清楚地描繪它們，就能更有把握地從哲學上論述它們。現在多謝有了望遠鏡，我已經能夠使天體離我們比離亞里斯多德近三四十倍，因此能夠辨別出天體上的許多事情，都是亞里斯多德所沒有看見的；別的不談，單是這些太陽系黑子就是他絕對看不到的。所以我們要比亞里斯多德更有把握對待天體和太陽。

某些現在還健在的先生們，有一次去聽某博士在一所有名的大學裏演講，這位博士聽見有人把望遠鏡形容一番，可是自己還沒有見過，就說這個發明是從亞里斯多德那裏學來的。他叫人把一本課本拿來，在書中某處找到關於天上的星星為什麼白天可以在一口深井裏看得見的理由。這時候那位博士就說：「你們看，這裏的井就代表管子；這裏的濃厚氣體就是發明玻璃鏡片的根據。」最後他還談到光線穿過比較濃厚和黑暗的透明液體使視力加強的道理。

實際的情形並不完全如此。你說說，如果亞里斯多德當時在場，聽見那位博士把他說成是望遠鏡的發明者，他是不是會比那些嘲笑那位博士和他那些解釋的人，感到更加氣憤呢？你難道會懷疑，如果亞里斯多德能看到天上的那些新發現，他將改變自己的意見，並修正自己的著作，使之能包括那些最合理的學說嗎？那些淺薄到非要堅持他曾經說過的一切話的鄙陋的人，難道他不會拋棄他們嗎？怎麼說呢？如果亞里斯多德是他們所想像的那種人，他將是頑固不化、頭腦固執、不可理喻的人，一個專橫的人，把一切別的人都當作笨牛，把他自己的意志當作命令，而凌駕於感覺、經驗和自然界本身之上。給亞里斯多德戴上權威和王冠的，是他的那些信徒，他自己並沒有竊取這種權威地位，或者據為己有。由於披著別人的外衣藏起來比公開出頭露面方便得多，他們變得非常怯懦，不敢越出亞里斯多德一步；他們寧可隨便地否定他們親眼看見的天上那些變化，而不肯動亞里斯多德的天界一根毫毛。

（節選自〔意〕伽利略《關於托勒密和哥白尼兩大世界體系的對話》，上海人民出版社 1974 年版）

編選說明 •••

伽利略·伽利萊（Galileo Galilei ，1564—1642），文藝復興時期意大利著名物理學家、天文學家和哲學家。因開創了以實驗事實為基礎並具有嚴密邏輯體系和數學表述形式的近代科學，被譽為「近代科學之父」。他是為維護真理而進行不屈不撓鬥爭的戰士。為推翻經院哲學對科學的禁錮，改變與加深人類對物質運動和宇宙的科學認識而奮鬥了一生。恩格斯稱他是「不管有何障礙，都能不顧一切而打破舊說，創立新說的巨人之一」。

此篇演講是伽利略為維護哥白尼學說被教會判罪囚禁前一年即1632年發表的演講。此中，他從分析亞里斯多德的哲學思想入手，對日心說進行了頗具理論色彩的論說。依靠自己發明的望遠鏡，伽利略自信比亞里斯多德更有把握對待天體和太陽，他有力地駁斥了托勒密等人不顧觀察和實驗事實的教條和頑固不化，說明了地動說的正確性。在他看來，即使是一個平凡的人，只要他找到了真理，就可以戰勝所有的權威。

萊布尼茨

單子是自然界的真正原子

我們這裏要說的單子不是別的，只是組成復合物的單純實體；單純，就是沒有部分的意思。既然有復合物，就一定有單純的實體；因為復合物無非是一群或一堆單純的東西。在沒有部分的地方，是不可能有廣延、形狀、可分性的。這些單子就是自然的真正原子，總之，就是事物的元素。也根本不用害怕它們會分解，根本就不能設想一個單純的實體可以用什麼方式自然地消滅。根據同樣理由，也根本不能設想一個單純的實體可以用什麼方式自然地產生，因為它是不能通過組合形成的。因此可以說，單子是只能突然產生、突然消失的，這就是說，它們只能通過創造而產生、通過毀滅[1]而消失，至於復合物則是通過部分而產生或消失的。

也沒有辦法解釋一個單子怎樣能由某個別的創造物在它的內部造成變化或改變，因為在單子裏面不能移動任何東西，也不能設想其中可以激起、引導、增加或任何內部運動，這在復合物中是可以的，那裏有部分之間的變換。單子並沒有可供某物出入的窗戶。偶性不能脫離實體，不能漂泊在實體以外，像過去經院學者們的「感性形相」[2]

1 指上帝的創造世和毀滅世界。

2 經院哲學認為物質性的性質拋出一個非物質性的形相，進入知覺主體，構成該性質的觀念。

那樣。因此，不論實體或偶性都不能從外面進入一個單子。

然而，單子一定要有某種性質，否則它們就根本不是存在的東西了。單純的實體之間如果沒有性質上的差別，那就沒有辦法察知事物中的任何變化，因為復合物中的東西只能來自單純的組成部分，而單子沒有性質就會彼此區別不開來，因為它們之間本來沒有量的差別。因此，既然假定了「充實」[3]，每個地點在運動中就只會接受與它原有的東西等價的東西，事物的一個狀態就無法與另一狀態分清了。而且，每一個單子必須與任何一個別的單子不同。因為自然界絕沒有兩個東西完全一樣，不可能在其中找出一種內在的、基本固有本質的差別來。

我還認為毫無疑問，一切創造出來的東西都有變化，因此創造出來的單子也是這樣，而且這種變化在單子裏都是連續的。根據以上所說的看來，單子的自然變化是來自一個內在的本原，因為一個外在的原因不可能影響到單子內部。但是除了變化的本原以外，還要有一個變化者的細節，這個細節，可以說，造成了各個單純實體的特異性和多樣性。這個細節應當包含著單元或單純物裏面的繁多性。因為既然一切自然變化都是逐漸的，就有的東西變，有的東西不變；因此在單純的實體中一定要有多方面的牽涉和關係，雖然它並沒有部分。

這個包含著、代表著單元或單純實體裏的繁多性的過渡狀態，無非就是知覺；我們應當把知覺與統覺或意識仔細分開，這是下面就會看到的。就是在這一點上，笛卡爾派有非常嚴重的缺點，他們認為覺

3　即充實的空間，與虛空相反。

察不到的知覺是不存在的。也就是因為這個緣故，他們認為只有心靈才是單子，既沒有什麼禽獸的靈魂，也沒有什麼別樣的「隱德來希」[4]，他們同普通人一樣把長期的昏迷與嚴格的死亡混為一談，而且陷入經院學者的偏見，以為靈魂完全與肉體分離，甚至贊同那些思想乖謬的人的意見，主張靈魂有死。

使一個知覺變化或過渡到另一個知覺的那個內在本原，可以稱為欲求；誠然，欲望不能總是完全達到它所期待的全部知覺，但它總是得到一點，達到一些新的知覺。

當我們發現自己所覺察到的最細小的思想也包含著對象中的多樣性時，我們就在自己身上經驗到單純實體中的繁多性了。因此，凡是承認靈魂是單純實體的人，都應該承認單子中的這種繁多性；貝爾先生也不應當在這一點上發現什麼困難，像他在《辭典》裏的「羅拉留」[5]條中所寫的那樣。

此外也不能不承認，知覺以及依賴知覺的東西，是不能用機械的理由來解釋的，也就是說，不能用形狀和運動來解釋。假定有一部機器，構造是能夠思想、感覺、具有知覺，我們可以設想它按原有比例放大了，大到能夠走進去，就像走進一座磨房似的。這樣，我們察看它的內部，就會只發現一些零件在彼此推動，卻找不出什麼東西來說

4　古希臘亞里斯多德用語。指每一事物所要達到的目的，亦即潛能的實現。因此，他常以「隱德來希」作為「現實」的同義語。後萊布尼茨以這一用語表示單子的能動（積極）力量，它是靈魂，而物質則是靈魂的異在。

5　貝爾（Pierre Bayle, 1647—1706），法國哲學家，著有《歷史的、批判的辭典》，在「羅拉留」（Rorarius，意大利16世紀人）條中批判了萊布尼茨的預定和諧說。

明一個知覺。因此，應當在單純的實體中，而不應當在復合物或機器中去尋找知覺。因此，在單純實體中所能找到的只有這個，也就是說，只有知覺和它的變化；也只有在這裏面，才能有單純實體的一切內在活動。

我們可以把一切單純實體或創造出來的單子命名為「隱隱來希」，因為它們自身之內具有一定的完滿性，有一種自足性使它們成為它們的內在活動的源泉，也可以說，使它們成為無形體的自動機。

（節選自〔德〕萊布尼茨《單子論》，《科學大師啟蒙文庫：萊布尼茨》，上海交通大學出版社 2000 年版）

編選說明 ●●●

戈特弗裏德·威廉·萊布尼茨（Gottfride Wilhelm Leibniz, 1646—1716），德國著名哲學家、自然科學家、數學家。治學領域涉及哲學、數學、力學、法律、管理、歷史、文學、邏輯等 40 個多個學科門類，被譽為十七世紀的亞里斯多德。他是最早研究中國文化和中國哲學的德國人，和牛頓同為微積分的創建人，是大陸唯理論哲學的完成者。他還是數理邏輯這一重要學科的開創者，並被譽為電腦的先驅者之一。

本文節選自萊布尼茨的哲學論著《單子論》，主要表達了「單子是自然界的真正原子」的論點。文中強調：作為萬物基礎的實體，應該是具有不可分性和能動性的「單子」，它是構成世界萬物的基本元素，是一種精神實體。作為一個在與機械唯物主義論爭中形成發展起來的客觀唯心主義形而上學體系，「單子論」雖有向宗教神學妥協的傾向，但也包含一些合理的辯證法因素，如萬物自己運動的思想等。萊布尼茨學説與其弟子沃爾夫的理論相結合，形成了「萊布尼茨—沃爾夫」體系，極大地影響了德國哲學的發展。而正是通過對萊布尼茨為代表的獨斷論思想的批判，康德開創了德國古典哲學的先河。

貝克萊

存在就是被感知

我的思想、情感和由想像力構成的觀念，都不能離開心靈而存在，這一點是每個人都會承認的。而且，印在「感官」上的各種感覺或觀念，儘管混雜，儘管結合在一起（即不管組成什麼對象），也不能不在感知它們的心靈中存在，這一點在我看來，似乎也是同樣明顯的。只要一個人注意一下存在一詞用於可以感覺的事物時的意義，我想，憑直覺就可以知道這一點。我說我寫字用的桌子存在，這就是說我看見它，摸到它。假若我走出書房以後還說它存在，這個意思就是說，假若我在書房中，我就可以感知它，或者是說，有某個別的精神實際上在感知它。有氣味，就是說我嗅到過它；有聲音，就是說我聽到過它；有顏色或形象，就是說我用視覺或觸覺感知過它。這就是我用這一類說法所能夠瞭解到的一切。因為所謂不思想的事物完全與它的被感知無關而有絕對的存在，那在我是完全不能瞭解的。它們的存在〔esse〕就是被感知〔percipi〕，它們不可能在心靈或感知它們的能思維的東西以外有任何存在。

誠然，在人們中間奇特地流行著一種意見，認為房屋、山河，一句話，一切可感的東西，都不必被理智所感知而有一種自然的或真實的存在。不過，不論一般人用怎樣大的信心和滿意來採納這個原則，但是，任何人只要留心研究一下這件事，就可以看到（假如我沒有看錯)，這裏其實包含一個明顯的矛盾。因為，除了我們用感官所感知的事物之外，還有什麼上述的對象呢？並且，在我們自己的觀念或感覺之外，我們究竟能感知什麼呢？那麼，要說是任何一個觀念或其結合體不被感知而存在，那豈不明明白白是背理的嗎？

假若我們徹底考察一下這個主張，我們就可以發現：它或許歸根結底是基於抽象觀念的學說，因為，把可感物的存在與它的被感知分離，以為它們不被感知而存在，這不就是一種最精巧的抽象作用嗎？光和色，熱和冷，廣延和形狀，——一句話，我們看到和感觸到的東西——它們除了就是一些感覺、意念、觀念或感官上的印象外，還是什麼呢？並且，即使在思想中，我們能把它們與感知分離開來嗎？就我來說，我誠然可以很容易把一個東西與它自身份割開來，我誠然可以在我的思想中把那些或許從未經感官感知其為如此分割的東西分割開來，或設想它們是互相分離的；例如，我可以想像一個人的身軀沒有四肢，或不用想到玫瑰花本身而單單設想玫瑰花的香氣。在這個範圍內，我並不反對我是可以抽象地來思想的，如果這可以叫做抽象作用的話。但是，抽象作用所設想的範圍，僅僅限於那些真正可能分開存在或實實在在被感知為分開存在的事物。然而，我的想像能力並不能超過其實存在或感知的可能性以外。所以，正如我不能離開了對於一個東西的實實在在的感覺而能看見它或感觸到它一樣，我亦不能在思想中設想任何可感物可以離開我對於它的感覺或感知。真正講來，對象和感覺是同一個東西，因此，兩者是不能彼此分離的。

（節選自〔英〕貝克萊《人類知識原理》，《西方哲學原著選讀》上卷，商務印書館 1982 年版）

編選說明 ● ● ●

喬治・貝克萊（George Berkeley，1685—1153），愛爾蘭主教。與約翰・洛克和大衛・休謨被認為是英國近代經驗主義哲學家的三位代表人物。著有《視覺新論》（1709）和《人類知識原理》（1710）等。

「存在就是被感知」是貝克萊提出的著名命題，在他看來，人所面對和認知的世界是一個意識中的世界，世界中的一切事物首先都是作為觀念存在於我們的心靈中，人離開感官經驗便對外在世界一無所知。這些觀念都是合理的和正確的。然而，在此基礎上他進而認為，人永遠不能超出感覺、超出經驗，而只能將自己封閉於意識之內，所以事物就是觀念，以外的世界根本不存在。這些則顯得武斷和偏執。因為否定物質存在，貝克萊被視為哲學史上主觀唯心主義的典型代表。

赫胥黎

人類在自然界的位置（節選）

有關人類的許多問題之一，就是確定人類在自然界的位置和人類與宇宙間事物的關係，這個問題是其它一切問題的基礎，比其它問題更有趣味。我們人類的種族是從哪裏來的？我們人類制服自然和自然制服我們人類的力量範圍有多大？我們人類最終要達到的目的又是什麼？所有這些問題經常出現在人們面前，並且給每個生長在世界上的人以無窮的興趣。我們當中的多數人，在尋求這些問題的新答案時遇到艱難和危險就退縮回來，而滿足於避開這些問題，或者使追究問題的精神窒息在受人推崇和可尊敬的傳統說法的鴨絨被下。但是，在每個時代總是有一兩個堅持不懈的志士，具有天賦的創造能力，認定只有確實可靠的事實才能作為科學依據，或者厭惡那種純懷疑主義的論調，不願走他們前人和同時代人所走的舒適的老路，不顧一切荊棘和障礙，邁開大步走他們自己開拓的道路。

關於人類在動物界的位置和知識，是正確理解人類與宇宙的關係所不可缺少的必備知識……沒有理由懷疑，人類起源的一種情況是從類人猿逐步變化而來，另一種情況是和猿類由同一個祖先分支而來。

目前只有一種關於自然作用的學說具有使人滿意的證據，可以得到支持；換句話說，只有一種關於一般動物的物種起源假說是有科學根據的。這就是達爾文先生所提出的假說。

我相信達爾文先生已經滿意地證明了他所稱的「選擇」或「選擇變異」，在自然界確實存在，而且起著作用。同時，他還用充分的證據證明了這種選擇作用足以產生構造上新的「種」，甚至一些新的「屬」。如果動物界的差別僅限於構造方面，那麼我就毫不遲疑地認為，達爾文先生已經證實了存在著一種真實的自然界的原因，足以用來說明包括人類在內的生物種的起源。

……即使先不考慮達爾文先生的觀點，整個自然界現象的類似就提供了一個完善而有說服力的證據，可以駁倒那樣一種稱為第二原因的介入所造成的論點。關於人和其它生物之間的密切關係，由生物產生的力量和其它力量之間的密切關係，沒有理由使我懷疑，從不成形的到成形的，從無機的到有機的，從盲目的力量到有意識的智慧和意志，所有這一切都是自然界的偉大進程中的相互聯繫的東西。

科學在確定和闡明真理之後便完成了它的使命。如果此書專供科學工作者閱讀，那我就應結束，因為我的同行們所尊重的只是證據，確信他們的最高責任就是服從證據，即使是與他們的意願相違背。

但是我希望它能傳播到廣大有知識的人群中去。當我把一直在進行的那種最小心謹慎的研究所得出的結論儘量予以公佈時，如果大多數讀者對我的結論表示反對，而我卻不去理睬，那便是不應有的怯懦了。

……

人們應該記住，在把文明人與動物界相比時，好似一個阿爾卑斯山上的旅行家，看到那高聳雲霄的山嶽，不知道那暗黑色岩石和薔薇色山峰到何處的盡頭，天空的雲層從何處發生。地質學家告訴他說：

這些巍峨的山嶽，歸根到底只是原始海洋底部的固結的黏土原是同一物質，但是由於地殼內部的力量而上陞到了那壯麗和顯得高不可攀的位置。誠然，這位驚異的旅行家，如果在最初拒絕信任地質學家的這番話，那是可以諒解的。

但是地質學家是正確的。適當地思考他的指導，不會減少我們的尊嚴和我們的好奇心，反而可以在未受教育者的單純審美直觀之外，增添各種崇高的知識力量。

在激情和偏見消失以後，關於生物界裏的偉大的阿爾卑斯山和安第斯山脈——人，我們從博物學家的指導中可以得到同樣的結果。我們並不因為人在物質上和構造上與獸類相同而降低了人類高貴的身份。因為，只有人具有能創造可理解的和合理的語言的天才，就憑這種語言，人在他生存的時期逐步積纍經驗和組織經驗，而這些經驗在其它動物中當個體生命結束時就完全消失了。因此，人類現在好像是站在大山頂上一樣，遠遠地高出於他的卑賤夥伴的水準，從他的粗野本性中改變過來，從真理的無限源泉裏處處放射出來光芒。

（節選自〔英〕赫胥黎《人類在自然界的位置》，科學出版社 1971 年版）

編選說明 •••

湯瑪斯．赫胥黎（Thomas Henry Huxley，1825—1895），英國著名博物學家。他竭力宣揚進化學說，與當時的宗教勢力進行了激烈鬥爭，曾公開宣稱是「達爾文的鬥犬」，進一步發展了達爾文的思想，是最早提出人類起源問題的學者之一。

《人類在自然界的位置》是一本赫胥黎就人類的起源問題所作演講的彙集，本文為其中的一部分。這篇學術演講以其嚴密的科學性、深厚的說辯技巧和俏皮睿智的文筆，對「人類在自然界中的位置」這一主題進行了深刻闡述，引用解剖學、人猿比較學、胚胎發生學等知識論述了人猿同祖的理論。在他看來，善於思考的人「一旦從傳統偏見的影響中解脫出來，將會在人類的低等祖先中找到人類偉大能力的最好證據」，並認為「從人類過去的漫長進化程中，將會找到人類對達到更崇高的未來的信心的合理根據。」這樣的論說是極富啟發性的。

弗洛德

論無常

不久前的一個夏日，我同一位緘默的朋友，還有一位雖然年輕但已頗有名氣的詩人在一處生機盎然的鄉間漫步。那位詩人對我們四圍的美景讚不絕口，但卻並未因此而感到愉悅歡欣。他想著所有這些美景都不免要滅亡，當冬天來臨時，它們都將消失得無影無蹤，如同人的美貌，以及所有人們已經創造或可能會創造出的美和光彩一樣。這樣的想法令他傷懷。所有他本來深愛和讚歎的東西，似乎於他，都因為注定只是曇花一現而失去了其本來的價值。

我們知道，一切美麗、完美的東西都要凋零，這種趨勢會在我們的頭腦中產生兩種截然不同的衝動感情。一種是陷入像那位詩人所感受到的傷心、失意中；另一種是對這種武斷的現實的反抗。不！大自然和藝術的可愛，不可能真的消逝得無影無蹤。相信這一點真是太沒有頭腦、太妄斷了。無論如何，這美一定會保留下來，逃脫所有毀滅的力量。

可是這種對不朽的要求只不過是我們希望它成為現實的強烈願望的產物，事實可能恰恰就是令人心痛的東西。我不知該如何辯駁世事無常的論調，也不會固執地堅信美麗、完美的東西也有例外，不會都消逝。但我卻不贊同那位詩人悲觀的觀點：美的東西因其無常而會失去價值。

恰恰相反，其價值會增加！無常的價值是在時間上的稀少價值。對某一事物的享受的可能性受到限制反而會抬高享受它時的價值。我以為，認為美轉瞬即逝的想法不應妨礙我們欣賞它時感到的愉悅。說到大自然的美，雖然冬天會令它凋零，但第二年它又會復甦，因此相對於我們的生命而言，可以說它是永存的。人的身體和容顏之美會隨著我們的生命旅程永遠消逝，但這只會使他們有了一種新鮮的魅力。一朵只開放了一夜的鮮花似乎對我們來說並未因此而少了些可愛。我也不能理解為什麼一件完美的藝術作品或者一項智慧的成果會因其在時間上的限制而失去價值。的確，會有那麼一天，我們今天所讚歎的畫、雕塑會成為一堆塵土，或者我們的後人不再能讀得懂我們的詩人和思想家的著作，或者甚至地質時代也會到來，那時地球上所有的生物都將不復存在。然而既然所有這些美和完美的東西的價值只不過由它對於我們感情生活的意義而決定，它就不必比我們活得更長久，因此與絕對持久無關。

這些想法於我來說是無可辯駁的，然而我注意到我的這番議論並沒有打動詩人也沒有令我的朋友信服。我的失敗引導我去探究某種正起著影響他們的判斷力作用的強烈的情感因素，後來我相信我終於發現了那是什麼東西。破壞他們對美景的享受的定是他們頭腦中對哀悼的抗拒。想到所有這些美景都將轉瞬即逝讓這兩顆敏感的心先體驗到了對它消逝的哀悼；由於人的思想本能地對任何痛苦的東西都退避三舍，他們就感到對美的享受由於想到它轉瞬即逝而受到干擾。

對於失去我們所鍾愛或欣賞的東西的哀悼於一個普通人來說似乎很自然，他認為那是不言而喻的事，但對於一個心理學家來說，哀悼則是個謎，屬於那種不追溯到其它模糊的概念，單憑自身無法解釋的現象之一。正如我們似乎都有一定的愛的能力——我們稱之為裏比多——它在最初的發展階段被引向我們自己的自我。後來（仍然是在初期），裏比多從自我當中分離轉向物體，於是這些物體在某種程度上就進入我們的自我。如果這些物體被破壞，或者我們失去了它們，而我們愛的能力（即我們的裏比多）又一次獲得瞭解放，於是它就既可以用其它東西來代替，或暫時回到自我中。但為什麼裏比多與它所在的物體的這種分離的經歷會是這麼痛苦，對我們來說還是個謎，迄今為止，我們還沒有形成任何假設來解釋它。我們只看到裏比多依附於它所在的物體，而且對失去的東西念念不忘，即使手邊就有一個替代物。這就是哀悼。

我與那位元詩人的對話發生在戰爭爆發前的一個夏日。一年後戰爭爆發，把世界上的美都毀掉了。戰爭不僅破壞了所經過的鄉村之美，破壞了途中遇到的藝術作品，而且動搖了我們對自己的文明成就的驕傲，對許多哲學家和藝術家的崇拜以及最終戰勝國家和種族差異的希望。它玷污了我們的科學的崇高和公正，赤裸裸地暴露了我們的本能，釋放了我們身體內邪惡的幽靈，而我們本以為經過幾百年最高尚思想的不斷教育和薰陶，它們已永遠地馴服了。它使我們的國家又一次變得渺小，使我們遠離了其它的世界。它剝奪了許多我們曾鍾愛的東西，讓我們認識到許多我們曾以為一成不變的東西是多麼的易逝。

毫不奇怪，我們的裏比多，由於失去了這麼多東西，更強烈地依附於所剩給我們的東西，我們對祖國的熱愛，對最親近的人的熱愛，我們對擁有共同的東西的驕傲突然變得更為強烈。然而那些我們現在已經失去的財富，真的由於它們那麼易逝、那麼毫無抗拒力就對我們不再有價值了嗎？對於許多人來說可能是這樣的，但對我則全然不是。我相信那些這樣想的人，他們本意似乎打算把它們永遠拋棄，因為寶貴的東西證明是不會長久的，而實際上卻不過是沉浸在對失去的東西的哀悼中。如我們所知，哀悼不管有多痛苦，都有一個無意識的目的。當它棄絕了每一件曾失掉的東西，於是也就不再哀悼，我們的裏比多又一次自由了（只要我們仍然年輕、仍然有活力），可以用同樣新鮮或更寶貴的東西來代替失去的東西。希望戰爭所造成的損失也能這樣。一旦哀傷結束，我們就會發現我們對文明財富的高度評價並沒有因為我們發現它們脆弱易碎而喪失。我們將重新建起戰爭所毀掉的一切，或許在比過去更堅實、更永久的基石上。

（〔奧〕佛洛德著，常宏譯《論無常》，《論文學與藝術》，國際文化出版公司 2001 年版）

編選說明 ●●●

西格蒙德·佛洛德（Sigmund Freud，1856—1939），猶太人，奧地利醫生兼心理學家、哲學家、精神分析學的創始人。儘管佛洛德的許多思想如同他的整體精神分析大廈一樣缺乏堅實的基礎，並且沒有充足而嚴密的科學證明，也從未贏得過科學界的普遍承認，但他卻受到諸多文學家、藝術家的盛讚，並以其指導自己的創作實踐。作為一種哲學思潮，佛洛德主義和新佛洛德主義在當今資本主義國家、特別是在美國得到了廣泛的傳播。

「無常」是佛學中常用的專門術語，認為無常的現象恒常存在於這整個世間。「無」是沒有，「常」是固定不變；「無常」就是沒有固定不變的意思；也就是說：一件事情或一個物體，是不會永遠保持同樣的狀態而不起變化的。本文為佛洛德 1915 年完成。文中，面對令我們生起種種痛苦、煩惱的無常，佛洛德強調：他不贊同美的東西因其無常而會失去價值的悲觀論調，在他看來事情恰恰相反，正因為其無常價值反而會增加，即無常的價值是在時間上的稀少價值。

泰戈爾

個人與宇宙的關係

古希臘的文明孕育於城牆之內，實際上，一切現代文明都有其磚塊和泥灰砌成的搖籃。

這些壁壘在人們的頭腦中已深深地留下了痕跡，使我們在思想上建立起「分而治之」的原則，以至在我們當中形成了一種習慣，用加固和使之互相分離的辦法來保持我們所獲得的一切，由此把國家與國家，知識與知識，人和自然分開。有了這種習慣便對於這個屏障以外的東西產生了強烈的懷疑，任何事情想得到我們的承認都要經過一番艱難的鬥爭。

最初雅利安人侵入印度時，印度是廣闊的森林地帶，新來的人們很快就利用了這些有利的條件。森林給他們提供了隱蔽所，以躲避驕陽酷暑和熱帶暴風雨的襲擊，並為家畜提供了牧場，供給祭火以燃料，為建築房屋提供了木料。後來不同的雅利安部族及其首領定居於不同的森林地區，這些地區為他們提供特殊的自然保護，以及充足的水源和食物。

這樣，在印度，文明的誕生是始於森林，這種起源和環境形成了與眾不同的特質。印度的文明被大自然的浩大生命所包圍，由它提供食物和衣服，而且在各方面與大自然保持最密切、最經常的交流。

這樣一種生活，可能會被認為有使人類智力趨於愚鈍的傾向，並且由於降低了生活的標準而阻礙對進步的刺激，但是在古代印度，我們發現這種森林生活的環境並沒有壓抑人的思想，沒有減弱人的活力，而只是賦予人們一種特殊的傾向，使他的思想在與生氣勃勃的大自然產物的不斷接觸中，擺脫了想在他的佔有物周圍建起界牆以擴展統治的欲望。他的目的不再是獲得而是去親證，去擴展他的意識，與他周圍的事物契合。他認為真理是包容一切的，沒有絕對孤立的存在，並且認為親近真理的唯一途徑是使我們的生命融匯於一切對象之中。古代印度林棲聖哲們的努力正是為了親證人類精神和宇宙精神之間的這種偉大的和諧。

後來當這些原始森林開拓為良田的時候，到處都興起了富裕的城鎮，幾個強有力的王國建立起來了，這些王國與世界上一切強大的勢力有了互相交往，但是，甚至在物質生活繁榮的時代，印度人仍然帶著敬仰的心情回顧狂熱的自我親證的早期理想和遁居森林的單純生活的高尚，並從這智慧的寶庫中汲取最大的鼓舞。

然而西方人似乎將征服自然引以為榮，好像我們是住在一個敵對的世界裏，我們所要的任何東西都必須從不情願的、異己的東西的安排中掠奪過來，這種思想是以城牆習慣訓練頭腦的產物，由於生活在城市，人自然而然地將他的目光集中在自己的生活和工作上，這樣就在他和他所寄居的大自然之間造成了人為的分離。

但是印度人的看法是不同的，他們把世界和人一起包括在一個偉大的真理裏。印度人強調在個人和宇宙之間的和諧，他們認為如果宇宙對我們來說是絕對無關的東西，那麼我們就不能與周圍環境有任何交往了。人對自然的抱怨是說要通過自己的勢力才能獲取大多數的需要。是的，不過他的努力不是徒勞的，他每天都在取得成功。這表明在人和宇宙之間有一種合理的聯繫，因為除非真跟我們有聯繫，否則我們永遠也不能把任何東西變成我們自己的。

我們可以從兩種不同的觀點來看同一條道路，一種觀點認為：它與我們所期望的目標是分離的，假若這樣，我們認為，在這條道路上每前進一步，都是通過力量、衝破障礙而取得的；另一種觀點認為這是一條將我們引向目的地的途徑，因此它是我們目標的一部分，踏上這條路已經是我們勝利的開端，越過它就能獲得它所提供給我們的一切。這後一種觀點就是印度人對自然的看法。對於他們來說人和大自然的和諧是偉大的事實。人能夠思索是因為他的思想和周圍事物是一致的，人類能夠利用自然的力量來達到自己的目的，也只是因為他的力量同宇宙的力量是和諧的，而且長期以來人類的意圖同貫穿在大自然裏的意圖永遠不能互相衝突。

西方人普遍認為自然只是無生命的東西和獸類，出於自然界發生了無法解釋的突變，人類的本性由此產生。按照西方人的看法，在生命的梯級上任何低級的東西幾乎都是自然的，凡是在它上面留下理性和道德這類完美痕跡的東西才是人類的本性。這好像將花和蕾分隔成兩個孤立的範疇，將它們的美德歸功於兩種不同的、相反的原理。然而印度人在承認與自然的親緣關係、與萬物的牢不可破的聯繫時從不會有任何躊躇。

宇宙之根本統一對印度人來說不是簡單的哲學思辨，而是要在感情上和行動上去親證這種偉大和諧的生活目標。用冥想和禮拜，用對生活的調整，去培養他們的意識，任何東西在印度人看來都具有精神意義。地、水和光，花和果，這對他們來說不僅是物理現象，用則取之，不用則棄之，它們正像每一個音符對於完成和音是必要的一樣，也是獲得完美理想的需要。印度人直觀地感到這個世界上現存的東西對我們來說都具有生死攸關的意義，我們得充分考慮到它，和它建立一種自覺的關係，這不僅是受對科學的好奇心或者對物質利益的貪婪所驅使，而且是以歡樂、平和的偉大情操，以同情的精神去親證它。

（〔印〕泰戈爾著，宮靜譯《人生的親證》，商務印書館 1992 年版）

編選說明 •••

泰戈爾（Rabindranath Tagore，1861—1941），印度著名詩人、文學家、哲學家和印度民族主義者。他與黎巴嫩詩人紀·哈·紀伯倫齊名，並稱為「站在東西方文化橋樑的兩位巨人」。1913 年獲諾貝爾文學獎，是第一位獲得該獎的亞洲人。在其漫長的創作生涯中，他創造了一個別具特色的哲學思想體系。本文節選自泰戈爾的著作《人生的親證》，主要探討的是人與宇宙的關係。文中，他通過分析古希臘和印度兩種文明的不同特點，對西方文明所主張的人與宇宙的關係就是征服與被征服的關係這樣的觀點，明確表示了反對，他主張：人與宇宙應該是一種和諧的、統一的關係。只有實現了人與自然的和諧統一，人類社會才能獲得永久和平與幸福。泰戈爾關於人與宇宙關係的論述構成了他哲學體系的核心，而從其來源看，基本上承襲了印度古代奧義書和吠檀多哲學中的「梵我同一」思想。

海德格爾

我為什麼住在鄉下

南黑森林一個開闊山谷的陡峭斜坡上，有一間滑雪小屋，海拔 1150 米。小屋僅六米寬，七米長。低矮的屋頂覆蓋著三個房間：廚房兼起居室，臥室和書房。整個狹長的谷底和對面同樣陡峭的山坡上，疏疏落落地點綴著農舍，再往上是草地和牧場，一直延伸到林子，那裏古老的杉樹茂密參天。這一切之上，是夏日明淨的天空。兩隻蒼鷹在這片燦爛的晴空裏盤旋，舒緩、自在。

這便是我「工作的世界」——由觀察者（訪客和夏季度假者）的眼光所見的情況。嚴格說來，我自己從來不「觀察」這裏的風景。我只是在季節變換之際，日夜地體驗它每一刻的幻化。群山無言的莊重，岩石原始的堅硬，杉樹緩慢精心地生長，花朵怒放的草地絢麗又樸素的光彩，漫長的秋夜裏山溪的奔湧，積雪的平坡肅穆的單一——所有這些風物變幻，都穿透日常存在，在這裏突現出來，不是在「審美的」沉浸或人為勉強的移情發生的時候，而僅僅是在人自身的存在整個兒融入其中之際……

嚴冬的深夜裏，暴風雪在小屋外肆虐，白雪覆蓋了一切，還有什麼時刻比此時此景更適合哲學思考呢？這樣的時候，所有的追問必然會變得更加單純而富有實驗性。這樣的思想產生的成果只能是原始而銳利的。那種把思想訴諸語言的努力，則像高聳的杉樹對抗的風暴一樣。

這種哲學思索可不是隱士對塵世的逃遁，它屬於類似農夫勞作的自然過程。當農家少年將沉重的雪橇拖上山坡，扶穩橇把，堆上高高的山毛櫸，沿危險的斜坡運回坡下的家裏；當牧人恍無所思，漫步緩行趕著他的牛群上山；當農夫在自己的棚屋裏將數不清的蓋屋頂用的木板整理就緒；這類情景和我的工作是一樣的。思深深紮根於到場的生活，二者親密無間。

城市裏的人認為屈尊紆貴和農民作一番長談就已經很不簡單了。夜間工作之餘，我和農民們一起烤火，或坐在「主人的角落」的桌邊時，通常很少說話。大家在寂靜中吸著煙斗。偶而有人說起伐木工作快結束了……我的工作就是這樣紮根於黑森林，紮根於這裏的人民幾百年來未曾變化的生活的那種不可替代的大地的根基。

生活在城裏的人一般只是從所謂的「逗留鄉間」獲得一點「刺激」，我的工作卻是整個兒被這群山和人民組成的世界所支持和引導……只要我一回到那裏，甚至是在那小屋裏「存在」的最初幾個小時裏，以前追問思索的整個世界就會以我離去時的原樣重新向我湧來。我只是湧身進入工作自身的節奏，從根本意義上講，我自己並不能操縱它的隱蔽的命令。城裏人總擔心，在山裏和農民呆那麼長時間，生活一無變化，人會不會覺得寂寞？其實，在這裏體會到的不是寂寞，而是孤獨。大都市中，人們像在其它地方一樣，並不難感到寂寞，但絕對想像不出這份孤獨。孤獨有某種特別的原始的魔力，不是孤立我們，而是將我們整個存在拋入所有到場事物本質而確鑿的近處。

在公眾社會裏，人可以靠報紙記者的宣傳，一夜間成為名人。這是造成一個人本己的意願被曲解並很快被徹底遺忘的最確定無疑的遭際了。

相反，農民的記憶有其樸素明確永志不忘的忠實性。前些時候，那裏的一位農婦快要去世了。她平日很愛同我聊天，告訴我許多村子裏古老的傳說。她的質樸無文的談吐充滿了豐富的想像。她還在使用村里許多年輕人不再熟悉很快就會湮沒的不少古字和習語。去年，我獨自在小屋裏接連住過幾個星期。那陣子，這位農婦經常不顧 83 歲高齡，爬上高坡來看我。照她自己說，她一次次來，不過是想看看我是否還在那兒，或者，是否「有人」突然把我的小屋洗劫一空。整個彌留之夜，她都在跟家人談話。就在生命最後一刻前一個半鐘頭，她還要人向那個「教授」致意。這樣的記憶，勝過任何國際性報刊對據說是我的哲學的聰明的報導。

都市社會面臨著墮入一種毀滅性的錯誤的危險。都市人想到農民的世界和存在時，常常有意把他們那種其實非常頑固的炫耀姿態暫時收斂一番，殊不知這與他們心底裏的實情——和農民的生活儘量疏遠，聽任他們的存在一如既往，不逾舊軌，對學究們言不由衷的關於「民風」、「土地的根基」的長篇大論嗤之以鼻——又自相矛盾了。農民可不需要也不想要這種城市派頭的好管閒事。他們所需所想的是對其存在與自主的靜謐生活的維繫。但是今天許多城裏人（比如那些個滑雪者）在村子裏，在農民的家裏，行事往往就跟他們在城市的娛樂區「找樂子」一樣。這種行為一夜之間破壞的東西比幾百年來關於民俗民風的博學炫耀所能毀壞的還要多。

讓我們拋開這些屈尊俯就的熟悉和假冒的對「鄉下人」的關心，學會嚴肅地對待那裏的原始單純的生存吧！惟其如此，那種原始單純的生存才會重新向我們言說它自己。

最近我接到赴柏林大學講課的第二次邀請。其時我離開弗萊堡，重返山上小屋。我傾聽群山、森林和農田無聲的言說，還去看望了我的老友，一個 75 歲農民。他已經在報上看到了邀請消息。猜猜他說了些什麼？慢慢地，他那雙清澈無比的眼睛不加任何掩飾地緊緊盯著我，雙唇緊抿，意味深長地將他真誠的雙手放在我肩上，幾乎看不出來地搖搖頭。這就是說：「別去！」

（〔德〕海德格爾《我為什麼住在鄉下》，《靈魂的邊界：外國思想者隨筆經典》，雲南人民出版社 1996 年版）

編選說明 •••

海德格爾（Martin Heidegger，1889 — 1976），德國哲學家，存在主義的創始人和主要代表之一。1959 年退休後，退居家鄉黑森林的山間小屋，只與少數親近的朋友討論哲學問題。這篇散文就寫於退居家鄉之後。在這篇兩千餘字的散文裏，作為哲學家的海德格爾用質樸簡潔的文字描畫了南黑森林的風物之美，並在此背景之上，將自我的哲學追思融入對鄉民寧靜單純的生活的深切關注與思考當中，充分肯定了「鄉下人」那種「原始單純的生存」中所包含著的生命意義，同時也明確地表明瞭他對現代都市社會「面臨著墮入一種毀滅性的錯誤的危險」的深刻洞悉。綜觀全文，描寫簡單樸素而脈絡有致，抒情自然而顯真摯，議論深入而不晦澀，真正實現了景、情、理的三體合一，具有渾然天成之美。

老子

道法自然

道可道，非常道；名可名，非常名。無，名天地之始，有，名萬物之母。故常「無」，欲以觀其妙；常「有」，欲以觀其徼[1]。此兩者，同出而異名，同謂之玄[2]。玄之又玄，眾妙之門。（《道德經》一章）

天下皆知美之為美，斯惡已；皆知善之為善，斯不善矣。有無相生，難易相成，長短相形，高下相傾，音聲相和，前後相隨，恒也。是以聖人處[3]無為之事，行不言之教；萬物作而弗始，生而弗有，為而弗恃，功成而弗居[4]。夫唯弗居，是以不去。（《道德經》二章）

天地不仁，以萬物為芻狗[5]；聖人不仁，以百姓為芻狗。天地之間，其猶橐籥[6]乎？虛而不屈，動而愈出。多言數窮[7]，不如守中[8]。（《道德經》五章）

1　徼：邊界。
2　玄：老子學中一個重要的概念，表示幽昧深遠。
3　處：處世行事。
4　居：居功、自我誇耀。
5　芻狗：用草紮成的狗，供祭祀時用。
6　橐籥（tuó yuè）：風箱。
7　數：「速」的假借字；窮就是達不到目的。
8　守中：即守沖，保持虛靜的意思。

天長地久。天地所以能長且久者，以其不自生[9]，故能長生。是以聖人後其身而身先，外其身而身存。非以其無私[10]邪？故能成其私。（《道德經》七章）

上善若水。水善利萬物而不爭，處眾人之所惡，故幾[11]於道。居善地，心善淵[12]，與善仁，言善信，政善治，事善能，動善時。夫唯不爭，故無尤[13]。（《道德經》八章）

至虛極，守靜篤。萬物並作，吾以觀復。夫物芸芸，各復歸其根[14]。歸根曰靜，靜曰覆命[15]。覆命曰常[16]，知常曰明。不知常，妄作凶。知常容，容乃公，公乃王[17]，王乃天，天乃道，道乃久，沒身[18]不殆[19]。（《道德經》十六章）

大道廢，有仁義；智慧出，有大偽；六親不和[20]，有孝慈；國家昏亂，有忠臣。（《道德經》十八章）

曲則全，枉則直，窪則盈，敝則新，少則得，多則惑。是以聖

9　自生：經營自己的生存、注重自己的生存。

10　私：指個人的目的、理想等。

11　幾：近

12　淵：深

13　尤：過失、錯誤。

14　根：根本。

15　覆命：復歸本性。

16　常：指事物運動變化中不變的規律。

17　王：即天下歸順的意思。

18　沒身：指死亡

19　殆：危險。

20　六親：指父、子、兄、弟、夫、妻。

人抱一為天下式[21]。不自見[22]，故明；不自是，故彰；不自伐[23]，故有功；不自矜，故長。夫唯不爭，故天下莫能與之爭。古之所謂「曲則全」者，豈虛言哉！誠全而歸之。(《道德經》二十二章)

有物混成，先天地生。寂[24]兮寥[25]兮，獨立而不改，周行而不殆[26]，可以為天地母。吾不知其名，強字之曰「道」，強為之名曰「大」。大曰逝，逝曰遠，遠曰反[27]。故道大，天大，地大，人亦大。域中有四大，而人居其一焉。人法地，地法天，天法道，道法自然[28]。(《道德經》二十五章)

道常無名，樸。雖小，天下莫能臣。侯王若能守之，萬物將自賓[29]。天地相合，以降甘露，民莫之令而自均。始制有名，名亦既有，夫亦將知止[30]，知止可以不殆。譬道之在天下，猶川谷之於江海。(《道德經》三十二章)

反者道之動，弱者道之用。天下萬物生於有，有生於無。(《道德經》四十章)

---

21 式：即栻，是古代占卜用的一種迷信工具，根據它轉動的結果來判斷占卜者的凶吉禍福。
22 見：現。
23 伐：誇讚。
24 寂：沒有聲音。
25 寥：空虛、無形。
26 不殆：不息，不停。
27 反：同「返」，指「道」迴圈運行後返回到原點、返回到原狀。
28 自然：指「道」的自然狀態。
29 賓：服從。
30 止：止境、限度。

（節選自老子《道德經》，金盾出版社 2009 年版）

編選說明 ●●●

老子（約前 571—前 471），又稱老聃、李耳，是我國古代偉大的哲學家和思想家、道家學派創始人，被唐皇武后封為太上老君，存世有《道德經》（又稱《老子》）。其作品的精華是樸素的辯證法，主張無為而治，其學說對中國哲學發展具有深刻影響。在道教中老子被尊為道祖。

這裏所選的是《道德經》中專門論道的篇章。老子把道看做是宇宙的本原和普遍規律。其中，老子描述了「道」的存在和運行。在他看來，「道」無聲無形，先天地而存在，迴圈運行不息，是產生天地萬物之「母」。現實世界的一切都是相對而存在的，而唯有「道」是獨一無二的。它不會隨著變動運轉而消失。它經過變動運轉又回到原始狀態，這個狀態就是事物得以產生的最基本、最根源的地方。

莊子

秋水（節選）

秋水時至，百川灌河；涇流之大，兩涘渚崖[1]之間，不辯牛馬[2]。於是焉河伯[3]欣然自喜，以天下之美為盡在己。順流而東行，至於北海，東面而視，不見水端[4]。於是焉河伯始旋[5]其面目，望洋向若[6]而歎曰：「野語[7]有之曰，'聞道百，以為莫己若者。'我之謂也。且夫我嘗聞少[8]仲尼之聞而輕伯夷[9]之義者，始吾弗信。今我睹子之難窮也，吾非至於子之門則殆矣，吾長見笑於大方之家[10]。」

北海若曰：「井蛙[11]不可以語於海者，拘於虛[12]也；夏蟲不可以

1 兩涘：兩岸。涘，河岸。渚崖：小洲的邊沿。渚，水中的小塊陸地。
2 不辯牛馬：形容河面闊大，兩岸景物模糊不清。辯，通「辨」。
3 河伯：黃河之神。
4 端：邊際。
5 旋：改變。
6 望洋：聯綿詞，遠視的樣子。若：海神，即下文的「北海若」。
7 野語：俗語。
8 少：以……為少，貶低。
9 伯夷：孤竹君之子，他不受君位，不食周粟，餓死在首陽山。一般認為他很有節義。
10 大方之家：指得大道的人。方，道。
11 蛙：同「蛙」，兩棲動物。
12 虛：通「墟」，指所居之處。

語於冰者，篤於時也；曲士[13]不可以語於道者，束於教也。今爾出於崖涘[14]，觀於大海，乃知爾醜，爾將可與語大理矣。天下之水，莫大於海，萬川歸之，不知何時止而不盈；尾閭[15]泄之，不知何時已而不虛[16]；春秋不變，水旱不知。此其過[17]江河之流，不可為量數。而吾未嘗以此自多者，自以比[18]形於天地而受氣於陰陽，吾在於天地之間，猶小石小木之在大山也。方存乎見少，又奚以自多[19]！計四海之在天地之間也，不似礨空[20]之在大澤乎？計中國之在海內，不似稊米[21]之在大倉乎？號物之數謂之萬，人處一焉；人卒[22]九州，穀食之所生，舟車之所通，人處一焉；此其比萬物也，不似豪末[23]之在於馬體乎？五帝之所連[24]，三王[25]之所爭，仁人之所憂，任士[26]之所勞，盡此矣！伯夷辭之以為名，仲尼語之以為博。此其自多也，不似爾向[27]

13　曲士：見識淺陋的鄉曲之士。此指偏執俗學的人。
14　崖涘：代指黃河。
15　尾閭：指大海的排水處。
16　已：止。虛：指水盡。
17　過：超過。
18　比：借為「庇」，寄託。
19　自多：感到自滿。
20　礨空：石塊的小孔穴。
21　稊：一種形似稗的草，果實像小米，故稱稊米。
22　卒：借為「萃」，聚集。
23　豪末：毫毛的末梢，形容其微不足道。豪，通「毫」。
24　五帝：指黃帝、顓頊、帝嚳、唐堯、虞舜。所連：指五帝所連續禪讓的對象（天下）而言。
25　三王：泛指夏、商、周三代的帝王。
26　任士：指以救世為己任的賢能之士。
27　向：剛才。

之自多於水乎？」

（節選自莊子《莊子‧外篇‧秋水》，《莊子》，中華書局 2010 年版）

編選説明 ●●●

莊子（約公元前 369－前 286），名周。我國先秦（戰國）時期偉大的思想家、哲學家和文學家。道家學説的主要創始人，與道家始祖老子並稱為「老莊」。代表作《莊子》被尊崇者演繹出多種版本，名篇有《逍遙遊》、《齊物論》等。莊子奔放新奇的想像和變幻莫測的寓言故事，構成了其特有而奇幻的想像世界，這裏所選的《秋水》正好體現了莊子的這一特色。文中，莊子通過河神與海神對話這樣一則寓言故事，來表達自己對自然、對人生的思考和認識：在廣袤無垠的宇宙中，個人的認識和作為都要受到種種主客觀條件的制約，因而是十分有限的。文章意在討論的是事物的相對性和無限性，雖或有無所作為、消極虛無之嫌，但其合理內核卻能啟迪人們，不可囿於個人有限的識見而自滿自足，以至貽笑大方。

陸九淵

宇宙便是吾心，吾心便是宇宙

苟無所蔽，必無所窮。苟有所蔽，必有所窮。學必無所蔽而後可。

學不親師友，則《太玄》可使勝《易》。

主於道則欲消，而藝亦可進。主於藝則欲熾而道亡，藝亦不進。

以道制欲，則樂而不厭；以欲忘道，則惑而不樂。

有有志，有無志，有同志，有異志。觀雞與彘[1]，可以辨志；摯猿檻虎，可以論志。謹微不務小，志大堅強有力，沉重善思。

四方上下曰宇，往古來今曰宙。宇宙便是吾心，吾心便是宇宙。千萬世之前有聖人出焉，同此心同此理也。千萬世之後有聖人出焉，同此心同此理也。東南西北海有聖人出焉，同此心同此理也。近世尚同之說甚非。理之所在，安得不同。古之聖賢，道同志合，咸有一德，乃可共事。然所不同者，以理之所在，有不能盡見。雖夫子之聖，而曰：「回非助我[2]」，「啟予者商[3]。」又曰：「我學不厭。」……誠君子也，不能，不害為君子；誠小人也，雖能，不失為小人。

宇宙內事，是己分內事。己分內事，是宇宙內事。

1　彘，本指大豬，後泛指一般的豬。

2　回，顏回（前521—前481），孔子的學生。

3　商，卜商（公元前507—？），字子夏，孔子的學生。

人心至靈，此理至明，人皆有是心，心皆具是理。

聖人固言仁矣，天下之言仁者，每不類聖人之言仁。聖人固言義矣，天下之言義者，每不類聖人之言義。聖人之言，知道之言；天下之言，不知道之言。知道之言，無所陷溺；不知道之言，斯陷溺矣！

右賢而左能，德成而上，藝成而下。

道行道明，則恥尚得所；不行不明，則恥尚失所。恥得所者，本心也；恥失所者，非本心也。貴乎恥者，得所恥者也。恥存則心存，恥忘則心忘。

（節選自陸九淵《雜說》，《陸九淵集》卷二十二，中華書局 1980 年版）

編選說明 ●●●

陸九淵（1139－1193），字子靜，自號象山，撫州金溪人，是南宋時期最富有個性的哲學思想家和文化教育家，因曾與朱熹進行歷史上著名的「鵝湖之辯」而享有盛名。他的學說後由明代王陽明繼承發展，成為影響深遠的「陸王心學」，並成為東亞文化圈主要思想源泉之一。

「宇宙便是吾心，吾心便是宇宙」，這是陸九淵在其著《雜說》中提出的哲學命題。陸九淵把「吾心」和「宇宙」等同起來，意在強調宇宙中存在著「理」，而學者就是要「明此理」。宇宙之「理」與人的本心中的「理」是相一致的，但只有聖人能夠知曉。要明理，就必須「先立乎其大者」。由於每一個人心中都先驗地具有道德、知識普遍性的標準和尺度，故為學之道即衝破對人心的「限隔」。

擴展閱讀 • • •

1. 屈萬山主編：《赫拉克利特著作殘篇評注》，陝西師範大學出版社 1987 年版。
2. 赫胥黎：《人類在自然界的位置》，蔡重陽等譯、陳蓉霞校，北京大學出版社 2010 年版。
3. 佛洛德：《精神分析引論》，商務印書館 1997 年版。
4. 泰戈爾：《人生的親證》，商務印書館 1992 年版。
5. 海德格爾：《存在與時間》，三聯書店 2006 年版。
6. 波普爾：《科學知識進化論》，三聯書店 1987 年版。
7. 恩格斯：《自然辯證法》（《馬克思恩格斯全集》第 20 卷，人民出版社 1971 年版）。
8. 奧斯特瓦爾德：《自然哲學概論》，李醒民譯，華夏出版社 2000 年版
9. 韓民青：《人類的環境：自然與文化》，廣西人民出版社 1998 年版。

三 ●●● 對人性的反思

蘇格拉底

人應當知道自己的無知

雅典公民們！我得到那個壞名聲，只是由於我有某種智慧。你們要問，是哪一種呢？我說就是人所能得到的那一種。也可能我確實有那樣一種智慧；至於我剛才提到的那幾位所具有的，我想也許可以稱為超人的智慧。我想不出別的話來描述它，因為我自己根本不想要它。誰要是說我想要，那是造謠，是對我的誹謗。公民們，即便你們覺得我下面的話很誇張，也請你們安靜地聽一聽，因為那話並不是我說的。我要告訴你們，那是一位值得你們尊敬的人物說的。我要為你們引一位值得信任的證人來作證。這就是那位德爾斐的神[1]。他會告訴你們我的智慧是怎麼回事，如果我也算有一點的話；他也會告訴你們我那點智慧是哪一類的。你們一定知道凱勒豐，他是我自幼的故

1　阿波羅，太陽神兼智慧神，他的廟在德爾斐。

交，也是你們的朋友，因為他曾經同你們一道被流放，也是同你們一道回來的。這位凱勒豐的性格，你們都知道，是做什麼事都很急躁的。有一回他跑到德爾斐，冒冒失失地向神提出了一個問題——請不要打斷我的話——求神諭告訴他有沒有人比我更智慧。女祭司傳下神諭說，沒有人更智慧了。凱勒豐本人已經去世，可是他的兄弟在這裏，可以證明我說的是實話。

為什麼我要提這件事呢？因為我要向你們說明自己得到壞名聲的原因。我聽到這個神渝的時候，心裏暗暗地想，神的這句話能是什麼意思呢？他這個謎應該怎麼解呢？因為我知道自己沒有智慧，大的小的都沒有。那麼，他說在人中間我最智慧，是什麼意思呢？他是神，不可能說謊，那是同他的本性不合的。我經過長期考慮，想出一個辦法來解決問題。我想，如果能找到一個人比我智慧，那就可以到神那裏去提出異議了。我可以說：你說過我最智慧，可是這裏就有一個人比我智慧呀。於是，我就去訪問一位以智慧著名的人物，對他進行觀察。他的名字我不用說了：這是一位政界人士，我選他來試試。結果，我一開始同他談話，就不能不想到他實在不智慧，儘管很多人以為他智慧，他也自以為智慧。因此我就試圖向他說明，他自以為智慧，其實並不真智慧。結果他恨我了，當時在場的一些人聽到我這話也恨我了。於是我就離開了他，心裏暗想：好吧，儘管我並不以為我們人中間有誰知道什麼真正美、真正好的東西，可我還是比他好一點，因為他一無所知，卻自以為知道，而我既不知道，也不自以為知道。在這一點上，我似乎比他稍有高明之處。後來我又訪問了另外一位更加自以為智慧的人，結果也是一模一樣。於是我又樹立了一個敵人，他身邊的許多人也都成了我的敵人。

我一個接著一個地考察人，並不是沒意識到自己激起的敵意。我也曾為此悔恨、畏懼，但我不能不這樣做，因為我應當首先考慮神的話。我心裏想：我必須把所有顯得智慧的人都訪問到，把神諭的意義找出來。我對你們不能不說實話，公民們，我向你們發誓，憑著犬神發誓，我看來看去，發現那些名氣最大的人恰恰是最愚蠢的，而那些不大受重視的人實際上倒比較智慧，比較好些。我要告訴你們，我到處奔波，付出了巨大的勞動，最後發現那個神諭是駁不倒的。我看了政界人士以後，又去看那些詩人：悲劇詩人，歌頌酒神的詩人，以及各種各樣的詩人。我對自己說：在他們那裏你就會馬上露原形了，就會發現自己比他們無知了。於是我就拿出幾段他們最得意的作品，請教他們到底是什麼意思，心想他們總能教給我點東西。你們相信嗎？我幾乎不好意思說出真相，可是必須說，在座的諸位幾乎沒有一位不比他們強，哪一位都能對他們的詩談出些道理，就是他們本人說不出所以然。我這才明白了，詩人寫詩並不是憑智慧，而是憑靈感。傳神諭的先知們說出了很多美好的東西，卻不明白自己說的是什麼意思。我覺得很明顯，詩人的情況也是這樣。同時我還觀察到，他們憑著詩才，就自以為在別的方面也最智慧，其實一竅不通。於是我就辭別了他們，捉摸著自己比他們高明點，正如比那些政治家高明一樣。

最後我去訪問工匠。因為我意識到自己確實一無所知，相信會發現他們知道很多好東西。這一點，我可沒有看錯。因為他們確實知道很多我所不知道的東西，在這一方面他們比我智慧。可是，公民們，我發現那些能工巧匠也有同詩人們一樣的毛病，因為自己手藝好，就自以為在別的重大問題上也很智慧。這個缺點淹沒了他們的智慧。所以，我就代表神諭問自己：你情願像原來那樣，既沒有他們的智慧，也沒有他們的無知呢，還是願意既有他們的智慧，也有他們的無知？我向自己和神諭回答道：還是像我原來那樣好。

公民們，就是這一查訪活動給我樹立了那麼多兇險毒辣的敵人，也是這一活動使我得到了「最智慧的人」的稱號，因而受到人們的誹謗。因為旁觀者總以為我既然指出別人缺乏智慧，自己一定是有智慧的。其實，公民們，只有神才是真正智慧的，那個神諭的用意是說，人的智慧沒有多少價值，或者根本沒有價值。看來他說的並不真是蘇格拉底，他只是用我的名字當作例子，意思大約是說：「人們哪！像蘇格拉底那樣的人，發現自己的智慧真正說來毫無價值，那就是你們中間最智慧的了。」所以，我就到處奔波，秉承神的意旨，檢驗每一個我認為智慧的人，不管他是公民還是僑民。如果他並不智慧，我就給神當助手，指出他並不智慧。這件工作使我非常忙碌，沒有時間參加任何公務，連自己的私事也沒工夫管。我一貧如洗，就是因為事神不懈的緣故。

（節選自〔古希臘〕柏拉圖《蘇格拉底的申辯》，《西方哲學原著選讀》上卷，商務印書館 1982 年版）

編選說明 ●●●

本文節選自柏拉圖的《蘇格拉底的申辯》。文中，蘇格拉底所要說明的核心問題就是：人的認識的有限性，人類的真正智慧在於承認自己的無知。蘇格拉底可以視為古代希臘哲學的一個分水嶺。在他之前，古代希臘的哲學家都偏重於對宇宙起源和萬物本體的研究，如泰勒斯、畢達哥拉斯等，對於人生並不多加注意。蘇格拉底擴大了哲學研究的範圍，他將哲學引到對人類心靈的關注上來。他引用德爾斐阿波羅神廟所鐫刻的那句神諭來呼籲世人：「認識你自己」（know yourself），旨在希望人們能夠通過對心靈的思考關懷而去追求德行。在他看來，把有限的已知和無限的未知相比較，我們的已知是微不足道的，人應該謙虛。所以，人類永遠處於一種「無知」的境地。「人應當知道自己無知」，這是蘇格拉底對人類的告誡。

弗蘭西斯・培根

論人的天性

天性常常是隱而不露的，有時會被壓制下去，但卻很少能夠完全熄滅。相反壓力會使天性變得更加強烈，而教導和勸誡卻可以讓天性不是那麼胡攪蠻纏。但是只有習慣才能改變和抑制天性。凡是想征服自己天性的人，不要給自己確立過於宏偉或過於渺小的目標。因為過於宏偉的目標常常會招致失敗，而讓他灰心喪氣；而過於渺小的目標雖然經常獲得勝利，但是又會使他不思進取。還有，一開始的時候，應當讓他在別人的幫助下進行練習，就好像初學游泳的人借助葦筏一樣。但是過一些時候，他就應當在重負下練習，就好像舞蹈家穿著厚重的靴子練功一樣。因為，假如練習比實踐的難度還大，其結果就會趨於完美。凡是天性格外要強的人，其天性也難以克服，必須按照以下步驟來：首先，用時間來阻止和緩和天性，就好像有的人在生氣的時候默數二十四個字母一樣；其次，在量的方面逐漸減緩，就好像要戒酒的人一樣，從盡情開懷暢飲到每餐只飲一次；最後，才可以完全戒除。但是，假如一個人有足夠的毅力和決心，能夠一蹴而就解決問題，那是最好不過的。

「要想獲得靈魂的自由，就要掙斷胸前鎖鏈，這樣的人將永遠免於受罪。」[1]

還有一句古人的遺訓，說矯正天性的時候應該矯枉過正，就像將彎曲的棍子扭向相反的一端，這樣它反過來的時候就剛好適中，這句話相當正確，不過必須要弄清楚，這裏所說的另一端肯定不是惡德。一個人不能將某種持續的習慣強加給自己，其間應當略有間歇。因為一是這種休息或間歇可以讓人省察其得失；二是，假如一個人的德行並非完美無理，而且永遠照此進行下去的話，不僅鍛鍊了他的優點，甚至連謬誤也一併與時俱進了，因之這兩者都會變成一種習慣。對於這種情形，除了用適當的間歇和休止來調試，沒有任何補救措施。但是一個人也不能過於相信自己能夠戰勝天性，因為天性能夠潛伏很長的時間，只不過等待機會，一旦面臨誘惑它就會復活的。就好像《伊索寓言》中那個由貓變成的女子一樣：她故作端莊地坐在餐桌的一頭，直到一隻小鼠在她面前跑過的時候，她就原形畢露了。因此，一個人或者應該完全避免這種誘惑，或者常常接觸這種誘惑，這樣才不會輕易動心。人的天性在獨處的時候表現得最明顯，因為在那種生活裏是沒有矯飾的。在熱情方面也是如此，因為熱情使人忘掉了一切訓誡教條。在嘗試一種新生事物的時候，也最容易看出，因為這樣做的話沒有慣例可循。如果天性和職業相契合，這樣的人就是幸福的。反之，那些從事他們根本不喜歡的事業的人，肯定會說：「我整日周旋於自己所憎恨的事情當中。」在做學問方面，對於自己不喜歡的事情，就按照固定的時間表去學習；對於自己喜歡的事情，那就不用規

1　見羅馬著名詩人奧維德的長詩《愛的藥方》第五章293行。

定什麼時間了，因為他的思想會自作主張，帶他飛到那方面去。只要處理別的事情或學科所剩下來的時間足夠研究這些學問就行了。一個人的天性，不長成香花就會長成毒草，所以他應當定時澆灌前者，同時芟除後者。

（〔英〕弗蘭西斯·培根《論人的天性》，《論人生·培根卷》，長江文藝出版社 2007 年版）

編選說明 •••

作為文藝復興時期最重要的哲學家，培根一生寫過許多重要的哲學著作。但在他的哲學著作中，關注的並非那些為人們所公認的純哲學問題，而是涉及人生世事的方方面面，體現了他不同尋常的看待事物的視角與態度。這一點在《培根論說文集》中就得到了鮮活體現。這部文集共收入論文 58 篇，幾乎人們在日常生活中所遇到的零零種種的問題都有所論及，字裏行間透露出的是他的人生態度和處事方式。本文就選自這本論說文集。文中，培根對人的天性（本性）——人先天具有的品質或性情進行了論說。在他看來，人的天性常常隱而不露，而且越是壓制其反而會變得更加強烈，只有習慣才能將其改變和抑制。然而，面對生活中的誘惑時，一個人的天性就很容易復活。人的天性在獨處的時候表現得最為明顯。文章最後指出，一個人的天性有著向善或向惡的可能，因此必須時刻注意揚善而抑惡。

休謨

論人的理智

最能推翻皮浪主義[1]或過分的懷疑原則的，乃是日常生活中的行動、運用和工作。這些原則在學院中誠然可以繁榮，可以勝利，在那裏我們是難以（如果不是不可能的話）反駁它們的。但是它們一離開它們的庇護所，而且假使我們感情和情感具體化的真實對象的表象，把它們同我們天性中的較有力的原則對立起來後，它們就會煙消雲散，並且使最堅定的懷疑論者同其它生物處於同樣的條件之中。

因此，懷疑論者最好是呆在自己本身的範圍中，去展示那些出自更高深莫測的研究中的哲學反論。在這裏，他們似乎有充分取勝的把握。他可以正當地堅持這樣的看法：在存在於記憶和感官證據以外的任何事實方面，我們全部證據都出自因果關係；我們對於這種關係的觀念只有這樣一種看法，即兩個恒常結合在一起的對象的關係。而且除了習慣或我們天性中的一種本能之外，並沒有別的情節可以使我們得到這種推測，這種本能自然是難以反抗的，不過它也和別的本能一樣，可以是錯誤的、騙人的。一個懷疑論者如果堅持這些觀點，那他就顯示出他的實力，或者可以說，表現出他自己以及我們全人類的弱點，而且他似乎就消滅了（至少在當時）一切信念和確信。如果我們

1　皮浪（Pyrrhon，約公元前360—前270），是古希臘懷疑論的奠基人。故此，懷疑主義也常被稱之為「皮浪主義」。

能從這類論證給社會求到任何可以經久的幸福或利益，那麼，我們或許可以再多說幾句。然而，實際上它並無經久的利益，這是過分的懷疑論遭到的最重要、最可以置它於死地的一種反駁：即這個懷疑論假如保持其充分的活力，那麼它不可能給社會貢獻任何經久的利益。我們只要問一問這個懷疑論者，他的用意何在？他想借這些奇怪的研究給我們貢獻什麼？他立刻會茫然失措，無以作答。一個哥白尼的信徒和托勒密的信徒在擁護其各自的天文學時，他希望在他的聽眾中產生一種可以經久的確信。一個斯多葛信徒或伊壁鳩魯信徒所號召於人的原則可能不會經久不衰，但它們在行動和行為上可能產生後果。但是，一個皮浪主義者並不能希望他的哲學會在人類心靈上保有持久的影響；即使它會有這種影響，他也不要期望這種影響會有益於社會。正相反，他還必須承認（如果他還可能承認任何事情），他的原則如果產生普遍、穩定的影響，所有人類的生命就會毀滅。一切推論、一切行動都會停止下來，一切人都會處於渾然無知的狀態中，直到自然的必需欲求由於無法滿足，最終了結他那可憐的生存。的確就是這樣。這樣不幸的事件並不值得可怕。本性總是強於原則。一個皮浪主義者雖然可以借自己高深的推論，使自己和他人陷入暫時的驚奇和紛亂中，但人生中一些乍看起來微小的事情就會驅散他的一切猶豫和懷疑，使他在行為和思辨的任一方面，都同一切其它派別的哲學家，甚至同未曾致力於哲學研究的人們，處於同樣的情勢之中。當他大夢初醒，他一定是第一個譏笑自己，並且承認他的反論只是純粹開心的東西，不過是旨在揭示出人類的奇怪狀態；雖然他們不能借自己最精細的考察、以滿足自己對行動、推理和信仰的基礎的關注，或去除可能會產生與它們相對立的反論，但他們不得不行動、推理和信仰。

……

不過也有一種較溫和的懷疑論或學院哲學，它既經久又有用，它可能在有些方面是皮浪主義的結果或過度的懷疑論的結果；或者是徹底懷疑論在某些方面被常識和反省糾正了的結果。大部分人在表示自己的意見時自然而然地都傾向於肯定和專斷；他們如果只看到對象的一個方面，而且對於任何相反的論證沒有理解時，他們就會武斷地接受他們心愛的原則，而且他們對持相反意見的人，根本不會寬容。他們是不會猶豫和權衡的，因為這會迷惑他們的理解力，阻止他們的情感，終止他們的行動。因此，他們就想急於逃脫這樣不自在的一種狀態，而且他們以為，他們縱然借急遽的肯定和專斷的信仰也難以完全使自己擺脫出來。但這些專斷的推理者如果能察覺到人類的理智，即在最完全的狀態下，即在它最精確最謹慎地作出結論時，也是特別脆弱的；則這種反省自然會使他們較為謙和，較為含蓄一些，而且會使他們減少偏愛自己的心理和厭惡論敵的心理。目不識丁的人應體會博學者的心境，因為那些博學者雖從研究和反省得到許多利益，可他們在結論中仍然總是不敢自信。另一方面，博學的人如果天性傾向於驕傲和固執，那麼他們稍一沾染皮浪主義就會減低他們的驕傲，因為那種主義可以指示給他們說，他們對於其前輩所佔的那一點上風，如果和人性中生來就有的那種普遍的迷惑和紛亂比較起來，實在是不足道的。總而言之，一個合理的推理者在一切考察和斷言中應該永久保有某種程度的懷疑、謹慎和謙恭才是。

（〔英〕休謨《論人的理智》，《人生的寓言——思想者的美文隨筆》，

吉林文史出版社 1994 年版）

編選說明 ●●●

休謨（David Hume，1711—1776），18 世紀英國哲學家、歷史學家和經濟學家。他首倡近代不可知論，對感覺之外的任何存在持懷疑態度，對外部世界的客觀規律性和因果必然性持否定態度。他認為，感性知覺是認識的唯一對象，知覺分印象和觀念兩類，但認為人們不可能超出知覺去解決知覺的來源問題。他還認為因果聯繫只是由於印象出現先後而形成的一種觀念。主要著作有《人性論》、《人類理解研究》等。

這裏所選的《論人的理智》，大致反映了休謨不可知論的哲學立場。休謨認為，因果關係並非是自然的本質，而是因為我們所養成的心理習慣和人性所造成的。在他看來，人類的理智即使是在最完全的狀態下，在它最精確最謹慎地作出結論時也是特別脆弱的。正是基於這樣的立場，休謨強調：一個合理的推理者，應當在一切考察和斷言中，永久保有某種程度的懷疑、謹慎和謙恭。休謨的不可知論觀點對後世產生廣泛而深刻的影響。

盧梭

人的過錯

量力而行，放棄妄想，人會永遠快樂，遠離煩惱。緊緊地佔據著大自然在萬物的秩序中給你安排的位置，沒有任何力量能夠使你脫離那個位置，不要反抗那嚴格的必然的法則，沒有必要因它而空耗盡體力，因為上天所賦予你的能力，不是用來擴充或延長你的存在，而只是用來讓你按照它喜歡的樣子和它所許可的範圍生活。你與生俱來的能力所帶給你的權力和自由已達極限，不要奢求更多，其它一切全都是奴役、幻想和虛名。當權力要依靠輿論的時候，其本身就帶有奴隸性，因為你要以你用偏見來統治的那些人的偏見為轉移。你要按自己的心意去支配他們，你就必須按照他們的心意辦事。他們只要改變一下想法，你就要相應改變自己的做法，無論你是否情願。只有自己實現自己意志的人，才不需要借用他人之手實現自己的意志。由此可見，在所有的財富中，最為可貴的不是權威而是自由。而真正自由的人，從不奢求得不到的東西，也不做不喜歡做的事。

我們誤用了我們的能力，結果痛苦緊隨而來。精神上的痛苦無可爭辯地是我們自己造成的，而身體上的痛苦，要不是因為我們誤用了能力使我們感到這種痛苦的話，是算不得一回事的。大自然之所以使我們感覺到我們的需要，難道不是為了保持我們的生存嗎？身體上的痛苦難道不是機器出了毛病的信號，警告我們更加小心嗎？壞人不是在毒害他們自己的生命和我們的生命嗎？誰願意始終這樣生活呢？死亡就是解除我們所做的罪惡的良藥；大自然不希望我們一直遭受痛苦。在蒙昧和樸實無知的狀態中生活的人，所遇到的痛苦是多麼少啊！他們的身體是那樣的健康，他們的精神是那樣的愉快，以至於從未想過死亡這個概念。當他們意識到死的時候，他們的痛苦將使他們希望死去，這時候，在他們看來死亡就不是一件痛苦的事情了。如果我們滿足於現狀，我們對命運就沒有什麼可抱怨的。為了尋求一種空想的幸福，我們卻遭遇了千百種真正的災難。誰要是遇到一點點痛苦就不能忍受，他就一定會遭到更大的痛苦。

我想，萬物的運行軌道是有一個規律的，普遍的災禍只有在脫離軌道的時候才能發生。個別的災禍只存在於遭遇這種惡事的人的感覺裏，但人之所以有這種感覺，不是由大自然賜予的，而是人自己造成的。任何人，只要他不常常想到痛苦，不瞻前顧後，他也就不會有痛苦之感。

（〔法〕盧梭《人的過錯》，《世界最具感悟性的哲理美文》，北京藝術與科學電子出版社 2007 年版）

編選說明 •••

讓·雅克·盧梭（Jean-Jacques Rousseau，1712—1778），法國偉大的啟蒙思想家、哲學家、教育家、文學家，是 18 世紀法國大革命的思想先驅，啟蒙運動最卓越的代表人物之一。其一生中論著甚豐，主要有《論科學與藝術》、《論人類不平等的起源和基礎》、《社會契約論》、《愛彌兒》、《新愛洛漪絲》、《植物學通信》等。這些論著對近代政治、經濟、文化、教育、宗教等領域進行了全方位的改革和批判，震撼了西方社會，推動了歷史進步。

盧梭崇尚自然，強調在自然狀態（動物所處的狀態和人類文明及社會出現以前的狀態）下，人本質上是好的。好人被他們的社會經歷所折磨和侵蝕，而社會的發展導致了人類不幸的繼續。在這篇文章中，盧梭就認為：正是由於人們誤用了自己的能力，所以造成了自身精神上的痛苦。而人只有回歸自然，放棄妄想，脫離外界社會的各種壓迫以及文明的偏見，才能在精神上遠離煩惱、永遠快樂。

亞當·斯密

論同情

眾所週知，自私是人類的天性。但在人的天賦中除了自私的本性之外，還有一種本性也是客觀存在的，那就是憐憫或同情。這種人類本性讓我們不由自主地去關心別人的命運，感受別人的幸福，同情別人的苦痛。這種原始的情感遍及每一個人類個體，並非為品行高尚的人所獨享，即使罪大惡極的惡棍，我們也無法否認他擁有憐憫和同情的本能。

那麼，同情是如何產生的呢？同情需要建立在我們對別人的感受有一定的理解之上，只有理解才能讓我們對別人的遭遇有一種設身處地的情緒體驗。如果缺乏直接經驗，我們就必須通過設身處地的想像，充分運用移情才能體會別人的感受。儘管我們借助想像所模擬得到的這種感官印象，並不是我們移情的對象所得到的完全的感官印象，但這種移情的想像力卻能讓我們將心比心地將自己化為移情對象，並且自認為我們已經進入了對象的軀體，我們的喜怒哀樂就是他的全部感受。從一定程度上講，我們已經和移情對象融為一體，他的痛苦會讓我們覺得煩惱和悲傷。因為我們借助移情和想像在一定程度上產生了與我們想像力大小成比例的類似情感。

如果這樣解釋還不容易理解的話，那麼通過觀察我們可以發現，由於我們同情別人的痛苦，盡可能真切地揣摩體會受難者的痛苦，我們才能體會受難者的感受及其受到的影響。當我們看到別人身體的某個部位遭受重擊時，我們的身體會產生條件反射；當我們觀看舞蹈表演時，也有舞動的欲望；當我們看到乞丐裸露的膿瘡時，會覺得難受；還有當我們看到潰爛的眼睛時，也會產生一種非常明顯的疼痛感。同樣，我們為英雄的幸運而高興，為他們的不幸而悲傷。凡此種種，在人們所能擁有的各種激情中，旁觀者都是通過他們的移情想像來體會受難者的情感的，並認為自己的體會與受難者的感受是一致的。

「憐憫」和「體恤」是用來對別人的悲傷表示同感的詞彙，而「同情」可以用以表示對任何一種激情的同感，即無論是悲傷還是快樂的情緒體驗，我們都可以用「同情」指稱。同情似乎僅來自於對別人情緒的察覺，激情似乎可以在個體之間相互感染。笑臉使人輕鬆愉快，愁容令人失落傷感。但也不能一概而論，有些激情在我們尚不知其發生原委時，引發的不是同情，而是厭惡和牴觸。發怒者的狂暴讓我們由衷地討厭他本人而不是討厭他的敵人。因為我們不知道他發怒的原因，所以使我們對發怒者的移情和想像發生障礙而難以獲得他內心真實的情緒體驗。但我們卻能目睹他發怒所指的對象並且能體會到對方可能遭受的傷害。因此，我們同情的是後者的驚恐，並一致反對發怒者。

別人高興或憂傷的表情通過情緒感染使我們聯想到他們的命運遭遇，但憤恨卻使我們聯想到更多相關者。我們同情一個人命運的好或壞，卻不能同情一個人的暴怒，在知曉詳情前我們對暴怒都是牴觸的。其實，即使我們對別人的悲喜產生了同情，這種同情往往也是不到位的。號啕者除了表示他非常痛苦外，帶給旁觀者的與其說是同情，倒不如說是探究的好奇心和準備加以同情的傾向而已。

因此，同情並不直接來自對方的激情，而是來自對方激情產生的環境。我們同情一個人實際上是按我們的思路和想像進行的一種自我情緒體驗，這往往與當事人的感受存在相當的差距。比如為別人的粗魯舉止而羞愧，為瘋子喪失理智而悲哀。此時我們的感受是來自一種想像推測，並不是對方真實的自覺意識。

一位母親因孩子被病痛折磨而心如刀絞，其實母親的恐懼來自對孩子疾病後果的擔憂，而不是當下孩子身體不適的真切體驗。再如我們對死者的同情主要來自對他們生命消失後他可能面臨的不幸景況的想像，而不是死者本人的真實境遇和體驗。但我們不能由此否定想像的意義，可能正是由於對死亡的恐懼想像抑制了人世間很多不義之事的發生。

（節選自〔英〕亞當·斯密著，何麗君譯《道德情操論》，北京出版社 2008 年版）

編選說明 ●●●

亞當·斯密（1723—1790），英國著名古典政治經濟學家、現代西方經濟學之父、哲學家。本文節選自他發表於 1759 年的名著《道德情操論》，該書作為亞當·斯密的第一部著作，主要闡述的是倫理道德問題，構築了古典經濟學的哲學基礎。「論同情」是該書第一卷

第一編第一章，主要闡述了同情、同情心是人類天賦的本性之一，情感互動構成社會生活天然的、不可或缺的組成部分；這種人本性中所具有的「同情」的情感，是形成其道德取向的基礎，即通過別人的感情同我們自己的感情是否一致來判斷它們是否合宜，而這實際上構成了人類正義感和其它一切道德情感的形成根源。在亞當·斯密看來，只有同情之心才能「捍衛和保護社會」、「使社會興旺發達」。

康德

人是目的

假如有一樣東西，它的存在本身就有一種絕對的價值，它就是目的本身，可以當作特定規律的根據，那麼，在那樣東西里，也只有在那裏，才有一條可能的直言律令的根據，即實踐規律的根據。

現在我說：人，總之一切理性動物，是作為目的本身而存在的，並不是僅僅作為手段給某個意志任意使用的，我們必須在他的一切行動中，不管這行動是對他自己的，還是對其它理性動物的，永遠把他當作目的看待。一切愛好對象都只有一種有條件的價值，因為如果愛好不存在，建立在愛好上面的要求不存在，愛好的對象就沒有價值了。愛好本身，作為要求的來源，並沒有一種絕對的價值，本身並不值得追求，完全擺脫愛好倒應該是一切理性動物的普遍願望。所以，一切通過我們的行動去獲得的對象，永遠只有有條件的價值。有些東西的存在並不靠我們的意志，是靠自然的，它們如果是無理性的動物的話，就只有一種作為手段的相對價值，因此稱為物，而理性動物則稱為人，因為他們的本性就已經表明他們是目的本身，不能僅僅當作手段使用，因此是受到限制、不可任性的（是尊重的對象）。所以，人並非僅僅是客觀的目的，因我們的行動而存在，對我們具有一種價值，而是客觀的目的，也就是說，人之為物，其存在本身就是目的，而且是這樣一種目的，這種目的是不能為任何其它目的所代替的，是不能僅僅作為手段為其它目的服務的，因為如果沒有人，就根本沒有什麼具有絕對價值的東西了；如果全部價值都是有條件的，因而是偶然的，理性就根本不可能有最高的實踐原則了。

所以，如果要有一個最高的實踐原則，如果對人的意志來說，要有一種直言律令，那它就必須是這樣一個原則：這個原則要來自一樣東西的表象，那東西必然是每一個人的目的，因為它就是目的本身，構成了意志的客觀原則，因而能夠充當普遍的實踐規律。這個原則的根據是：理性的本性是作為目的本身而存在的。人必然把他自己的存在看成這樣；就這一點來說，人的存在就是人的行動的客觀原則。每一個別的理性動物也根據同樣的理由，把自己的存在看成這樣，這個理由對我也是有效的。所以這個原則同時也是一個客觀的原則，一個最高的實踐原則，從其中應當可以推出意志的一切原則來。所以，實踐的律令就是下面這句話：你的行動，要把人性，不管是你身上的人性，還是任何別人身上的人性，永遠當作目的看待，決不僅僅當作手段使用。

（節選自〔德〕康德《道德形而上學的基礎》，《西方哲學原著選讀》下卷，商務印書館 1982 年版）

編選說明 •••

伊曼努爾・康德（Immanuel Kant，1724—1804），啟蒙運動時期最重要的思想家之一，星雲說的創立者之一、德國古典哲學創始人，不可知論者。康德提出「人是目的」，主要就是要揭示出人自身就是目的，而不是供這個或那個意志任意支配或利用的工具。在他看來，人的行為無論是對自己的或是對他人的，都應該把人當做第一位的目的，世界上的一切只對人才有價值，單純的東西離開人就無所謂價值。人就其本性來說，是一個理性的存在，是具有絕對目的意義的存在。一切道德法則和義務要求之所以應該這樣而不應該那樣，不是基於其它任何目的，而只是為了人本身，是以人為「最高絕對目的」。每個人既對自己的行為負責，又同時承擔著共同責任，個人意志自由與道德責任感達到了完善的統一。這是康德對「以人為本」的解讀。

弗洛德

論本能

……如果我們把心靈分為三個部分，即自我、本我和超我，而這種區分代表我們認識的某種進步的話，那麼，就能使我們對心理內部的動態關係有更徹底的瞭解，且能對它們有更清晰的描述。我們已經得出了一個結論：自我很容易受知覺的影響，廣義地說，知覺對自我的意義就像本能對本我的意義一樣。同時，自我與本我一樣也容易受本能的影響，事實上，自我只是本我的一個經過特殊變化的部分。

在《超越快樂原則》中我提出了一種本能的觀點，在此我將繼續以其為基礎進行進一步的討論。依據這一觀點，我們不得不區分出兩類本能，下面我們將進行簡要地闡述。

其一，就是愛欲或性本能。它不僅包括不受禁律制約的性本能本身，以及受目的制約的或由此派生的具有昇華性質的本能衝動，而且還包括自我保護本能，必須把這種本能分配給自我，而且在我們的分析工作之例，我們有充足的理內使之與性的對象本能相對立。

其二，則是並不那麼容易下定義，最後，我們開始把施虐狂作為第二類本能的代表。出於受生物學支持的理論上的考慮，我們假定存在著一個死亡本能，而把有機的生命帶回到無機物狀態則是它的任務。

現在，我們再假定愛欲的目的，在於把裏面分散著的生物物質微粒越來越廣泛地結合起來，從而使生命複雜化，因此，保存生命自然就是它的目的了。既然愛欲和死亡本能均致力於重建一種出於生命的出現而受到干擾的狀態，那麼，就此而言，這兩類本能從最嚴格的意義上來說都是保守的。生命的出現就會因此而被看做是生命繼續的原因，與此同時，也被看做是死亡的原因，而生命本身則是這種傾向的衝突與和解。關於生命的起源問題乃是一個宇宙論的問題；對生命的目的和生命的目標問題就會作出二元論的回答。

基於以上觀點，一種特殊的生理過程（合成代謝或分解代謝）將與兩類本能之一發生聯繫；這兩類本能在生命實體的每一個微粒中，雖然實體的大小不等，但是這兩種本能都是活躍的；如此，某一實體就可以成為愛欲的主要代表。

這種假設並未對這兩類本能藉以互相融合、混合和合鑄在一起的方式進行清楚明白的顯示，但這種有規律的、非常廣泛的現象卻是我們的概念所不可或缺的一個假設。看來，由於把單細胞機體結合成多細胞的生命形式，就可以成功地抵消單個細胞的死亡本能，破壞性衝動借助於一個特殊器官而轉向外部世界。這個特殊器官就是肌肉組織；而死亡本能，作為一個指向外部世界和其它有機體的破壞性本能，似乎就會因此而表明自己的意思。

……

我們姑且不論兩類本能之間的對立，讓我們先考慮一下愛和恨的極端情況，要發現愛欲的一個代表是毫無困難的；但我們慶幸的是，我們能夠在破壞性本能中找到一個難以捉摸的死亡本能的代表，恨可以作為它的一個代表。臨床觀察表明，不僅愛總是以意想不到的規律性伴隨著恨（矛盾心理），在人類的關係中恨也常常是愛的先河，而且，在很多情況下，恨會變成愛，愛也會變成恨。如果這種變化不僅僅只是一種時間上的相繼關係，就是說，如果其中一方實際上變成了另一方，那就顯然沒有根據區分愛欲和死亡本能那樣存在著基本的差別。這種劃分能預測確實存在著相互對立的生理過程。

（節選自〔奧〕佛洛德《自我與本我》，《佛洛德的智慧：佛洛德心理哲學解讀》，中國電影出版社 2005 年版）

編選說明 •••

西格蒙德．佛洛德（Sigmund Freud，1856—1939），猶太人，奧地利醫生兼心理學家、哲學家、精神分析學的創始人。儘管佛洛德的許多思想如同他的整體精神分析大廈一樣缺乏堅實的基礎，並且沒有充足而嚴密的科學證明，也從未贏得過科學界的普遍承認，但他卻受到諸多文學家、藝術家的盛讚，並以其指導自己的創作實踐。作為一種哲學思潮，佛洛德主義和新佛洛德主義在當今資本主義國家、特別是在美國得到了廣泛的傳播。

佛洛德把全部精神分析學概括為兩個基本命題，即潛意識和本能或欲望。如果說潛意識論是精神分析學的核心，那麼本能論就是潛意識論的核心。在他看來，本能有兩類：即「愛欲」（性本能）和「死亡本能」。作為人類體內相互對立依存的矛盾體，前者代表著創造和愛的力量，而後者代表著破壞和恨的力量。愛欲時常會轉變為死亡本能，因此從某種意義上說，愛欲的邁進亦是向死亡走近，故兩者在最終目標上是相同的。

羅素

論嫉妒

除了憂慮之外，嫉妒可能是造成不快樂的最重要的原因之一。嫉妒是人類的一種最普遍而又最根深蒂固的情感。

對待兒童應保持分配的平等公道，實行一種徹底的、嚴格的、始終如一的公正。與成人相比，兒童的嫉妒和猜忌（嫉妒的一種特殊形式）只是表露得比較明顯些罷了。嫉妒是民主的基礎。

女人把一切別的女人看做自己競爭對手，而男人一般只嫉妒同行業的人。

在普通的人類本性中，最不幸的莫過於嫉妒了；嫉妒的人不僅只要自己能不受懲罰，就會對他人幸災樂禍，而且他自己也會因嫉妒而憂鬱不歡。他不是在自己所有的東西中尋找快樂，而是從別人的所有中感到痛苦。如果可能，他總是想剝奪別人的利益；他認為這樣做和他自己佔有利益同樣需要。倘若聽任這種情慾放肆，那麼不但一切卓越的優秀人物要深受其害，而且那些對人類特別有益的才能都將遭到破壞……幸而人類天性中還有另一種可以作為補償的激情，那就是欽佩。凡是希望增加人類快樂的人，就應該希望增加欽佩的天性，減少嫉妒的天性。

診治一般男女的嫉妒唯一的方法，是獲得快樂；困難的是，嫉妒本身便是快樂的可怕障礙。一個人童年的不幸會特別助長他的嫉妒心。有些快樂是一個人天賦的權利，倘使被剝奪，必然導致乖戾與怨恨。與人攀比的思想習慣，是一種致命的思想習慣。一個智慧人物，不會因別人有別的東西就對自己所有的東西不感興趣。嫉妒是一種罪惡，一部分屬於道德上的，一部分屬於理智上的，它總是不重視事情本身的價值，而總是從事情的攀比上判斷價值。

不能單靠成功的方法來擺脫嫉妒，因為歷史上或神話中總是有些人物比你更成功。你只有盡情地享受你以為的方法獲得的歡悅，做你應該做的工作並且避免把你自己與你所想像中的——也許是完全是你自己虛構的，比你更幸運的人來比較，這樣你才能擺脫嫉妒。

不必要的謙卑與嫉妒有很大的關係。謙虛被人們看做是美德，但我很懷疑過分的謙虛是否配稱得上美德。謙虛的人非常缺少應有的膽量，往往不敢嘗試他們實際上能勝任的事業。他們自認為被常與自己交往的人超過了，所以特別容易傾向於嫉妒，由嫉妒而不快樂，由不快樂而怨恨。

嫉妒，和競爭有密切的關聯。凡是我們以為絕對無法得到的那種幸運，我們決不會嫉妒。

不平等被合理地思索過後，立刻會被認為是不公正，除非這不平等是建築在某種突出的優點上的。而當不平等被認為不公正之後，自然而然會引起嫉妒，要治療這種嫉妒，必須首先消滅不公正……事實上，嫉妒是一種主要的原動力，引導不同的階級、不同的民族、不同的性別趨向公正。與此同時，由於嫉妒而期望產生的那種公正，也許是一種最糟糕的公正，就是說，這種公正，趨向於減少幸運者的歡樂，而並不是趨向於增進不幸運者的歡樂。嚴重破壞私人生活的激情，同樣也會對公共生活造成浩劫。

一切壞事都是互相關聯的，無論哪一樁壞事都可成為另一樁壞事原因，特別是疲乏，非常容易引起嫉妒。當一個人覺得自己不勝任分內之事時，會一肚子的不如意，很容易對工作輕鬆自如的人產生嫉妒。因此，減少疲乏也是減少嫉妒的一種方法。但更重要的是應保持生活中本能的滿足。表面上看來，純粹是專業性的嫉妒，其實大多數是由於性的不滿足造成的。一個在婚姻中，在孩子身上獲得很大快慰的人，只要他的財力足以使孩子依照他認為恰當的途徑去培養，不至於怎樣去嫉妒別人有更大的財產或成功。人類快樂的基本要素是簡單的，簡單到竟使頭腦複雜的人說不出他們缺少的究竟是什麼。

現代文明所造就的人類之心，很容易傾向於仇恨，而不是傾向於友誼。人心之所以傾向仇恨，是因為它不滿足，因為它深深地或下意識地覺得錯失了許多人生的意義，覺得也許旁的人倒保有著自然賦予人們享受的美妙事物，而自己卻失卻了它們。在一個現代人的生活中，歡娛的總量無疑要比沒有充分開化的社會裏多得多，但是對於盡可能享受歡娛的意識增加得更多。

……

同樣的悲哀與憤懣似乎進入了文明人的靈魂。他知道有些比他自己更優美的東西近在咫尺，卻不知道究竟往哪裏尋找。絕望之下，他就把惱怒轉向和他一樣迷茫一樣不快樂的同胞。

嫉妒儘管是一種罪惡，它的作用儘管可怕，但並非完全是一個惡魔，它一部分是一種英雄式的痛苦的表現。人們在黑夜裏盲目地摸索，也許走向一個更好的歸宿，也許只是走向死亡與毀滅。要擺脫這絕望，尋找出康莊大道，文明人必須像他已經擴展了他的大腦一樣，擴展他的心胸。他必須學會超越自我，在超越自我的過程中，學得像宇宙萬物那樣逍遙自在。

（〔英〕羅素著，傅雷譯《論嫉妒》，《羅素論幸福》，團結出版社 2009 年版）

編選說明 •••

伯特蘭・亞瑟・威廉・羅素（Bertrand Arthur William Russell，1872—1970），英國哲學家、數學家、邏輯學家，世界和平運動的宣導者和組織者。1920 年曾來中國講學。1950 年獲諾貝爾文學獎。

西方有許多哲人如培根等，都對人類最普遍、最根深蒂固的情感之一——嫉妒作出過自己的論說。作為一位思想者，羅素在本文中也對此發表了自己的深刻洞見。在他看來，使人不幸福的最主要的潛在原因，除了憂慮之外，就要算嫉妒了。嫉妒是普通人性中最不幸的特點，因為嫉妒者不但希望別人遭到不幸，而且他自己也因嫉妒而鬱鬱寡歡。他不是從自己擁有的一切中去尋找快樂，而是從他人擁有的東西中尋找痛苦。羅素認為：嫉妒是一種惡習，既是道德上的，又是理智上的，它永遠看不見事物本身，而只看見事物之間的關係。羅素強調：只有享受自己已經得到的快樂，做自己應該做的事情，不去想無益的事情，這樣才能擺脫嫉妒的困擾。事實上，人只有開闊自己的心胸，學會超越自我，才能獲得真正的自由。

弗羅姆

人，是狼還是羊？

許多人相信人是羊，也有人相信人是狼。雙方都可以為各自的見解提供有力的證據。持人是羊的觀點的人只要指出這個事實就行了，即：人們很容易被唆使去幹別人要他們去幹的事，即使是那些有害於他們本人的事，他們會追隨著把他們推入毀滅性戰爭中去的領袖們，並相信任何一種只要是充滿活力又得到權力支持的胡言亂語——不管這些胡言亂語是出自牧師和國王們的兇狠威脅，還是那些隱蔽的或不那麼隱蔽的宣傳鼓動者的溫言軟語。看來，大多數人似乎都是聽話的、半懂事的孩子，心甘情願地任人擺佈，不管別人為了達到支配他們的目的，是用威脅的語調抑或是用甜美的口吻來說話。的確，信心堅強得足以擋住一群烏合之眾反對的人也是有的，但這並不普通，而是少數的例外。幾百年後會有人讚美這種人，但目前多半卻只能遭到同時代人的嘲笑。

宗教裁判官和獨裁者把他們的制度建立在人是羊這個前提上。更有甚者，有這樣一種說法，即認為人既然是羊，那就需要有領袖為他們指點迷津，這往往增強了領袖們的這一真誠的信念：如果他們能給人所需要的東西，如果他們使人擺脫了責任和自由的負擔，那麼，他們便是在履行一種道義上的責任，即使這是一種悲劇性的道德責任。

但是，如果大多數人都是羊的話，那麼，為什麼人的生活和羊的生活是如此不同呢？人的歷史是用鮮血寫成的。這是一部不斷使用暴力的歷史。在這部歷史中，人的意志幾乎總是屈從於不變的勢力。僅僅是 T · 巴夏（T · Pasha）一個人就消滅了千百萬個亞美尼亞人麼？僅僅是希特勒一個人不也消滅了千百萬猶太人麼……這些人並不是孤軍奮戰；有許多人專為他們幹殺戮、拷問的勾當。幹這種勾當的人不僅出於自願，而且是為了取樂。在殘酷的戰爭中，在謀殺和強姦中，在強者對弱者的無情剝削中，在麻木不仁、鐵石心腸地對待那些經受拷問和痛苦呻吟的人的事實中，我們不是到處都看到了人與人之間的冷酷關係嗎？所有這些事實使像霍布士這樣的思想家們得出「人對人像狼一樣」（homo homini Lupus）的結論，使我們今天許多人都認為，人的本性是惡的，具有破壞性的。人不過是一個兇手而已，他之所以沒有像他的同夥那樣去幹殺人勾當，只是因為他害怕力量更強大的兇手罷了。

然而，雙方的論據把我們給弄糊塗了。的確，我們親自看到了某些潛在的或顯而易見的兇手和像希特勒那樣殘酷無情的虐待狂。但這些人並不普遍，只是少數的例外。我們能由此推論，你、我以及大多數普通人都是披著羊皮的狼嗎？能認為我們一旦擺脫一直阻止我們像野獸一樣行動的禁令，就會顯露出我們的真實的「本性」嗎？要駁倒這種論斷是困難的，然而這一論斷也不是令人心悅誠服的。在日常生活中要幹殘酷虐待的勾當有的是機會，而且不用擔心什麼報復，但多數人並沒有這麼幹。事實上，當人們遇到殘酷虐待的行為時，就會極其反感地進行反抗。

那麼，我們在這裏碰到的這個令人迷惑的矛盾，是否還有另外更合適的解釋呢？我們能否作這樣一個簡單的回答，那就是：有許多羊是和一小部分的狼生活在一起的嗎？狼要殺人，羊就要跟著幹，因此，狼叫羊去行兇，去謀害，去絞殺，羊就照辦。這不是因為羊喜歡這麼幹，以此為樂，而是因為羊想要跟著狼跑。為了讓絕大多數羊像狼那樣地去行動，兇手們甚至不得不編造出各式各樣的故事來表明自己行為的高尚動機，諸如為防禦對自由的威脅，為被殺害的兒童、被強姦的婦女、被損害的名譽復仇等。這個回答聽起來似乎很有道理，但仍存在著許多疑點。按照這種說法，是否意味著存在著兩種人類，一種是狼，一種是羊？再者，羊怎麼會那麼容易地被唆使去像狼那樣行動——假如羊本身並不具有這種本性的話，假如羊知道暴力是一種神聖的職責的話？我們關於狼和羊的說法或許都站不住腳，然而，狼比絕大多數人更能公開地表現人的主要性質，這個說法或許總應該是正確的吧？或者，所有非此即彼的說法歸根結底那是錯誤的，人或許既是狼又是羊，或者說既不是狼也不是羊吧？

（節選自〔德〕弗羅姆《人心》，商務印書館 1989 年版）

編選說明 ● ● ●

愛利希·弗羅姆（Erich Fromm，1900—1980）當代西方著名的哲學家、心理學家和社會學家，是法蘭克福學派主要代表之一。弗羅姆十分重視人與社會的關係的研究。認為人的本質是由文化的或社會的因素而不是生物的因素決定的。為了醫治病態社會，他提出通過改善人的心理，解決有關人們的勞動組織與社會的相互關係的問題，建立一個友愛、互助、沒有孤獨感的理想社會。

本文節選自弗羅姆的人本主義倫理學的主要代表著作《人心》，主要論述產生善、惡行為的心理根源，以及人們能否和怎樣才能在善、惡之間作出自由選擇。「人，是狼還是羊？」這是關於人性善惡這一哲學思想中最基本問題之一的特殊表述。在弗羅姆看來，人性中先天就存在著向善或向惡的兩種欲望，至於如何作出行為選擇則完全取決於後天的個人意願。

馬斯洛

人性的精髓

1.人本心理學使人類精神的形象煥然一新。作為基本原則，它指出我們每個人都有高級的本性，這種高級本性構成了人的本質的基本方面。這種觀點在實踐中意味著在良好的條件下，人們渴望表現出這些高級品質，例如愛、利他、友善、慷慨、誠實、仁慈和信任等。

2.除了上述自我實現的特徵以外，那些發展高度完善的人還特別在直覺觀察、瞭解真相、認識現實等方面富有效率。它意味著這些人不僅更加幸福、而且認知能力更強，與現實的聯繫也更加緊密……那些發展充分的人，由於良好的環境而表現出高級本性的人，從事任何事業都更加容易脫穎而出。從實踐的角度看，這也就意味著這些人都將是更加優秀的人類成員。

3.我們可以將「良好的環境條件」主要定義為，有利於促進自我實現的在自然、社會以及生理等諸多方面的條件。這些條件也促進基本需要的滿足，因為基本需要的滿足是發展高級需要、完善人格和走向自我實現的必由之路。

4.一個重要的觀點是，人類如果過去和現在都生活在良好的環境條件下，那麼他們就可以保持「善」的本性，也就是通常所講的符合倫理的、有道德的、正直的本性。這一觀點有力地駁斥了各種關於原罪、人類墮落和本性邪惡的說法。它也反對任何認為人類不可能是善的或正直的理論。

但是，這一觀點並不排斥人類時善時惡的各種理論。為什麼呢？因為這樣的理論確實道出了實情。也就是說，我並沒有宣稱人本質上是善的，因為這個結論事實上是錯誤的。實際上，我只是認為人性在某些條件下可以是善的，並且力圖說明具體需要哪些條件。

5.這一觀點指出了人類精神呈現出的嶄新面貌的本質。更重要的是，它還指出了新的社會本質。社會因素是不可避免地與心理因素交織在一起的。其原因在於，基本需要的滿足必須以人際關係、各種亞群體以及更廣泛的社會環境為基礎。這種情況意味著「良性社會」可以定義為「能夠滿足社會成員基本需要的社會」。進一步，這種情況還意味著「良性社會」就是那種能夠為社會成員提供自我實現的條件的社會……

6.應該注意的是，今天人們所說的 Y 理論[1]（我將在其基礎上補充我的 Z 理論）也得出了同樣的結論。它宣稱許多人，即使並非所有的人，在 Y 理論所謂的條件和前提下都將得到提高。

7.這一整體理論框架所派生的一個必要的假設就是：人類心理的「善」並不是無條件的、絕對的、永久的，我們甚至不能夠說它在本質上就是善的。只有在一定的條件下，人性才表現為善。在惡劣的環境條件下，人們更容易表現出心理病態和醜惡行為……

8.我們必須意識到有許多人基於不同的立場拒絕完全接受這種世

1　現代管理科學中以人定向的行為學派關於人性的一種假設，認為人生性並非懶惰和不可信任。由美國社會心理學家、管理學家 D.麥格雷戈在《企業中的人性面》（1957）一文中首先提出。

界觀。可以把這些人看成是絕望文化群體，甚至惡意文化群體。在其中，憤世嫉俗和懷疑一切等心理特徵占主要地位。這些人通常相信人性沒有達到善的境界，或者根本上就是惡的，他們會把看上去是善的東西通過更深層次的詮釋來說明人在本質上還是邪惡的、變態的、自私的。

9.絕望文化的擁護者具有一致的觀點，他們都認為人類心理的外在表現是誤導性的、不真實的。也就是說，在他們看來，所謂善良的人、社會進步以及良性社會條件這類事實只是表面現象，這些一貫持反對意見的人試圖證明在這類事實的深處隱藏著陰暗的、消極的一面，從而堅持自己的懷疑主義和犬儒主義……

10.通過重新認識思想史，將其視為暴露、貶抑人類與人性的一般過程，這樣我們就可以理解，至少是部分理解這種懷疑主義的心理了……我們還可以提出這樣的觀點：整個思想史就是說人性壞話的歷史。正是因為這個原因，所有綜合的企圖都是徒勞的。國家主義失效了，技術性的科學失敗了，強調普通繁榮與富裕失敗了，君主制失敗了，貴族或者上層統治者失敗了。就此而言，從古希臘開始貫串大部分歷史時期的民主制也失敗了……

11.最後，我不承認歷史真實地反映了人類精神。它只不過記錄了人類的精神歷程、人類已經做了些什麼。對於充分自我實現的人和良性的小型社會的認識表明，歷史可以被看成是一種抽象的統計。也就是說，我們可以追溯歷史，尋找自我實現的人、聖人、智者和其它一些人，而且的確可以找到這樣一些人。我們因此可以得出以下結論，通過這種方式來選擇性地解釋歷史，尋求人類能夠達到最高境界的優秀人物，上述關於人類心理新特徵的基本觀點，就有了確切的以經驗研究為基礎的支持。但是，只要整個人類還是一個難以分割的統計整體，我們就不能夠把歷史和人類心理在良性條件下發展的前景混為一談，它們之間是毫不相干的。在歷史上，大量的人共同經歷良性環境條件的情況是極為罕見的。除了某些十分短暫的、稍縱即逝的時期，人類歷史就從來沒有出現過面向大眾的良性環境。

（節選自〔美〕馬斯洛著，許金聲譯《人性的精髓是什麼？》，《洞察未來——馬斯洛未發表過的文章》，華夏出版社 2004 年版）

編選說明 •••

亞伯拉罕・馬斯洛（Abraham Harold Maslow，1908—1970），美國著名的社會心理學家、人格理論家和比較心理學家，人本主義心理學的主要發起者和理論家。其心理學理論核心是人通過「自我實現」，滿足多層次的需要系統，達到「高峰體驗」，重新找回被技術排斥的人的價值，實現完美人格。人具有生理需要、安全需要、歸屬與愛的需要、自尊需要和自我實現需要。其中，自我實現的需要是超越性的，追求真、善、美將最終導向完美人格的塑造。

有論者曾指出：「正是由於馬斯洛的存在，做人才被看成是一件有希望的好事情。在這個紛亂動盪的世界裏，他看到了光明與前途，他把這一切與我們一起分享。」馬斯洛認為，人的本性是中性的、向善的，完美的人性是可以實現的。在這篇寫於 1970 年 3 月的文章中，他澄清了在「人性本善」論述上的模糊不清，歸納出了人類心理的一些基本原則。如果說佛洛德為我們提供了心理學病態的一半，而馬斯洛則將健康的那一半補充完整。

孔子

仁者愛人

顏淵問仁。子曰：「克己復禮[1]為仁。一日克己復禮，天下歸仁[2]焉。為仁由己，而由人乎哉？」顏淵曰：「請問其目[3]。」子曰：「非禮勿視，非禮勿聽，非禮勿言，非禮勿動。」顏淵曰：「回雖不敏，請事[4]斯語矣。」

仲弓問仁。子曰：「出門如見大賓[5]，使民如承大祭。己所不欲，勿施於人。在邦[6]無怨，在家[7]無怨。」仲弓曰：「雍雖不敏，請事斯語矣。」

司馬牛問仁。子曰：「仁者，其言也訒[8]。」曰：「其言也訒，斯[9]謂之仁已乎？」子曰：「為之難，言之得無訒乎？」

1　克己：剋制自己；復禮：使自己的言行符合於禮的要求。
2　歸：歸順；仁：仁道。
3　目：具體的條目。「目」與「綱」相對。
4　事：從事，照著去做。
5　大賓：貴賓。
6　邦：諸侯統治的國家。
7　家：卿大夫統治的封地。
8　訒：話難說出口，這裏引申為說話謹慎。
9　斯：就。

子張問政。子曰：「居之無倦，行之以忠。」

子曰：「君子博學於文，約[10]之以禮，亦可以弗畔[11]矣夫[12]。」

子曰：「君子成人之美，不成人之惡。小人反是。」

季康子問政於孔子。孔子對曰：「政者，正也。子帥以正，孰敢不正？」

季康子患盜，問於孔子。孔子對曰：「苟子之不欲，雖賞之不竊。」

樊遲從遊於舞雩之下，曰：「敢問崇德、修慝[13]、辨惑。」子曰：「善哉問！先事後得[14]，非崇德與？攻其惡，無攻人之惡，非修慝與？一朝之忿[15]，忘其身，以及其親，非惑與？」

樊遲問仁。子曰：「愛人。」問知。子曰：「知人。」樊遲未達。

10　約：一種釋為約束；一種釋為簡要。

11　畔：同「叛」。

12　矣夫：語氣詞，表示較強烈的感歎。

13　修慝：慝，邪惡的念頭。修，改正。這裏是指改正邪惡的念頭。

14　先事後得：先致力於事，把利祿放在後面。

15　忿：憤怒，氣憤。

子曰：「舉直錯諸枉[16]，能使枉者直。」樊遲退，見於夏曰：「鄉[17]也吾見於夫子而問知，子曰；'舉直錯諸枉，能使枉者直。' 何謂也？」子夏曰：「富哉言乎！舜有天下，選於眾，舉皋陶[18]，不仁者遠[19]矣。湯[20]有天下，選於眾，舉伊尹[21]，不仁者遠矣。」

（節選自楊伯峻譯注《論語·顏淵篇第十二》，《論語譯注》，中華書局 2006 年版）

編選說明 •••

孔丘（公元前 551 年—前 479 年），字仲尼，春秋時期魯國人，為我國古代偉大的思想家和教育家，儒家學派創始人。相傳曾修《詩》《書》，訂《禮》《樂》，序《周易》，作《春秋》。他一生從事傳道，授業，解惑，被中國人尊稱「至聖先師，萬世師表」。孔子的言行思想主要載於語錄體散文集《論語》及先秦和秦漢保存下的《史記·孔子世家》。

《論語》與《大學》、《中庸》、《孟子》並稱為「四書」。這裏從《論語》中選擇了幾則孔子對「仁」的論述。孔子針對不同弟子，對

---

16 舉直錯諸枉：錯同「措」，放置。諸，這是「之於」二字的合音。枉，不正直，邪惡。意為選拔直者，罷黜枉者。

17 鄉：同「向」，過去。

18 皋陶：傳說中舜時掌握刑法的大臣。

19 遠：遠離。

20 湯：商朝的第一個君主。

21 伊尹：湯的宰相，曾輔助湯滅夏興商。

「仁」的內涵、表現和實踐途徑作了多種不同的闡釋，但基本內涵便是「樊遲問仁」時所回答的「愛人」。孔子論「仁」重在自我修持，他所說的「為仁由己」，突出了人自我主宰、自我修養、自我完善的道德自覺性，開啟了內在道德可以自我進階的通道，使人的精神昇華。

孟子

人性本善

(一)

孟子曰：「人皆有不忍人之心。先王[1]有不忍人之心，斯有不忍人之政矣。以不忍人之心，行不忍人之政，治天下可運之掌上。所以謂人皆有不忍人之心者：今人乍見孺子將入於井，皆有怵惕惻隱[2]之心；非所以內交於孺子之父母也，非所以要譽[3]於鄉黨[4]朋友也，非惡其聲而然也。由是觀之，無惻隱之心，非人也；無羞惡之心，非人也；無辭讓之心，非人也；無是非之心，非人也。惻隱之心，仁之端[5]也；羞惡之心，義之端也；辭讓之心，禮之端也；是非之心，智之端也。人之有是四端也，猶其有四體也；有是四端而自謂不能者，自賊者也；謂其君不能者，賊其君者也。凡有四端於我者，知皆擴而充之矣，若火之始然，泉之始達。苟能充之，足以保四海；苟不充之，不足以事父母。」(《公孫丑》上・六)

1 先王：上古的聖明君王。如唐堯、虞舜、夏禹、商湯、周文王、周武王等。
2 怵惕惻隱：驚懼、傷痛。
3 要譽：追求好名聲。
4 鄉黨：鄉里、同鄉的人。周制以五百家為黨，一萬二千五百家為鄉。
5 端：端緒。

（二）

孟子曰：「人之所不學而能者，其良能[6]也；所不慮而知者，其良知也。孩提[7]之童，無不知愛其親者，及其長也，無不知敬其兄也。親親，仁也；敬長，義也。無他，達之天下也。」（《盡心》上·一五）

（三）

孟子曰：「口之於味也，目之於色也，耳之於聲也，鼻之於臭[8]也，四肢之於安佚[9]也，性也，有命焉，君子不謂性也。仁之於父子也，義之於君臣也，禮之於賓主也，知之於賢者也，聖人之於天道也，命也，有性焉，君子不謂命也。」（《盡心》下·二四）

（四）

公都子[10]曰：「告子[11]曰：'性無善、無不善也。'或曰：'性可以為善，可以為不善。是故文武興，則民好善；幽厲[12]興，則民好暴。'或曰：'有性善，有性不善。是故以堯為君而有象[13]；以瞽

6　良能：與生俱來的能力。下句「良知」解法同此。

7　孩提：兩三歲的兒童。

8　臭：音 xiù，本義為氣味，這裏指芳香之氣。

9　佚：逸也，安逸、不勞動。

10　公都子：孟子弟子。複姓公都，名不詳。

11　告子：姓告，名不害，兼治儒、墨，嘗學於孟子。

12　幽厲：指周幽王、厲王。二人皆昏庸暴虐無道之君。幽、厲皆古之惡謚。

13　象：舜異母弟。性傲，嘗與父親瞽瞍謀殺舜，未遂。及舜為天子，封之有痺（音 bì），在今湖南道縣北。

瞍[14]為父而有舜；以紂為兄之子，且以為君，而有微子啟、王子比干[15]。’今曰：‘性善’，然則彼皆非歟？」

孟子曰：「乃若其情，則可以為善矣，乃所謂善也。若夫為不善，非才[16]之罪也。惻隱之心，人皆有之；羞惡之心，人皆有之；恭敬之心，人皆有之；是非之心，人皆有之。惻隱之心，仁也；羞惡之心，義也；恭敬之心，禮也；是非之心，智也。仁義禮智，非由外鑠我也[17]，我固有之也，弗思耳矣[18]。故曰：‘求則得之，舍則失之。’或相倍蓰而無算[19]者，不能盡其才者也。《詩》曰：‘天生蒸民，有物有則；民之秉彝，好是懿德。’孔子曰：‘為此詩者，其知道乎!故有物必有則；民之秉彝也，故好是懿德。’」（《告子》上・六）

（節選自萬麗華等譯注《孟子》，中華書局2006年版）

編選說明 ●●●

孟子（公元前372—前289），名軻，字子輿，戰國時鄒（今山東鄒城）人，是戰國時儒家學派的代表人物，被後世尊稱為「亞

---

14 瞽瞍：舜之父。瞽、瞍皆盲也，舜之父並未目盲，因愛後妻所生子象，而數欲殺良善之舜，與目盲相去不遠。

15 微子啟、王子比干：二人為帝乙之弟，皆紂之叔父。

16 才：材也，猶材質，言人初生之質也。

17 非由外鑠我也：非由外在強加給我。鑠，授予。

18 耳矣：而已矣。

19 或相倍蓰而無算：有的人相差一倍、五倍乃至於無數倍。或，代詞，相當口語「有的人」。倍，一倍。蓰，五倍。無算，猶言不可計數。

聖」，是「人性本善」的宣導者。

孟子的性善說立論於人具有四種善端，這四端有如人的四肢，是與生俱來的，不是後天外加的。而這四端也就是不學而能、不慮而知的「良知」、「良能」。不過，孟子雖然主張仁、義、禮、智四端，乃人本心所固有，但人之所以不能純然為善，甚或變而為惡，往往是因後天物欲所蔽或受到不良環境的影響、干擾，而使人喪失了本心。因此，孟子以為人必須存養本心，擴充善端，這樣才能挽救人心的陷溺，形成王道的政治。性善論只是為我們向善提供了可能性，至於修養的功夫還是需要依靠個人的努力。孟子的學說對後世產生了巨大而深遠的影響。

荀子

性惡論

人之性惡，其善者偽[1]也。今人之性，生而有好利焉，順是，故爭奪生而辭讓亡焉；生而有疾[2]惡焉，順是，故殘賊生而忠信亡焉；生而有耳目之欲，有好聲色焉，順是，故淫亂生而禮義文理亡焉。然則從[3]人之性，順人之情，必出於爭奪，合於犯分亂理，而歸於暴。故必將有師法之化、禮義之道[4]，然後出於辭讓，合於文理，而歸於治。用此觀之，然則人之性惡明矣，其善者偽也。

古者聖王以人之性惡，以為偏險而不正，悖亂而不治，是以為之起禮義、製法度，以矯飾[5]人之情性而正之，以擾化人之情性而導之也。始皆出於治，合於道者也。今之人，化師法，積文學，道禮義者為君子；縱性情，安恣睢，而違禮義者為小人。用此觀之，然則人之性惡明矣，其善者偽也。

孟子曰：「人之學者，其性善。」

曰：是不然。是不及知人之性，而不察乎人之性、偽之分者也。

1 偽：人為。
2 疾：通「嫉」。
3 從：通「縱」。
4 道，通「導」。
5 飾：通「飭」，整治。

凡性者，天之就也，不可學，不可事。禮義者，聖人之所生也，人之所學而能、所事而成者也。不可學、不可事而在人者，謂之性；可學而能、可事而成之在人者，謂之偽，是性、偽之分也。今人之性，目可以見，耳可以聽。夫可以見之明不離目，可以聽之聰不離耳。目明而耳聰，不可學明矣。

孟子曰：「今人之性善，將皆失喪其性故也。」

曰：若是則過矣。今人之性，生而離其樸、離其資，必失而喪之。用此觀之，然則人之性惡明矣。所謂性善者，不離其樸而美之，不離其資而利之也。使夫資樸之於美，心意之於善，若夫可以見之明不離目，可以聽之聰不離耳，故曰目明而耳聰也。

今人之性，饑而欲飽，寒而欲暖，勞而欲休，此人之情性也。今人饑，見長而不敢先食者，將有所讓也；勞而不敢求息者，將有所代也。夫子之讓乎父、弟之讓乎兄；子之代乎父、弟之代乎兄；此二行者，皆反於性而悖於情也，然而孝子之道、禮義之文理也。故順情性則不辭讓矣，辭讓則悖於情性矣。用此觀之，然則人之性惡明矣，其善者偽也。

故善言古者，必有節[6]於今；善言天者，必有徵於人。凡論者，貴其有辨合、有符驗。故坐而言之，起而可設，張而可施行。今孟子曰：「人之性善。」無辨合符驗，坐而言之，起而不可設，張而不可施行，豈不過甚矣哉！故性善，則去聖王、息禮義矣；性惡，則與聖

6　節：驗。

王、貴禮義矣。故隱栝[7]之生，為枸[8]木也；繩墨之起，為不直也；立君上、明禮義，為性惡也。用此觀之，然則人之性惡明矣，其善者偽也。

直木不待隱栝而直者，其性直也。枸木必將待隱栝烝[9]矯然後直者，以其性不直也。今人之性惡，必將待聖王之治、禮義之化，然後皆出於治、合於善也。用此觀之，然則人之性惡明矣，其善者偽也。

問者曰：禮義積偽者，是人之性，故聖人能生之也。」應之曰：是不然。

夫陶人埏埴[10]而生瓦，然則瓦埴豈陶人之性也哉？工人斫木[11]而生器，然則器木豈工人之性也哉？夫聖人之於禮義也，闢[12]亦陶埏而生之也，然則禮義積偽者，豈人之本性也哉？凡人之性者，堯、舜之與桀、跖，其性一也；君子之與小人，其性一也。今將以禮義積偽為人之性邪，然則有易貴堯、禹，曷貴君子矣哉？凡所貴堯、禹、君子者，能化性，能起偽，偽起而生禮義。然則聖人之於禮義積偽也，亦猶陶埏而生之也。用此觀之，然則禮義積偽者，豈人之性也哉？所賤於桀、跖、小人者，從其性，順其情，安恣睢，以出乎貪利爭奪。故人之性惡明矣，其善者偽也。

（節選自方勇等譯注《荀子·性惡第二十三》，《荀子》，中華書局

7　隱栝：竹木的整形工具。

8　枸，通「鉤」，彎曲。

9　烝：通「蒸」。

10　埏：以水和土並揉捏捶擊；埴：細密的黃黏土。

11　斫木：砍削木料。

12　闢：通「譬」。

2011 年版）

編選説明 ● ● ●

荀子（約公元前 313—前 238），名況，字卿，戰國末期趙國人。著名思想家、文學家、政治家，儒家代表人物之一。一生中大部分時間從事教授、著述，哲學上提出了「天行有常」、「制天命而用之」等著名觀點。對重整儒家典籍也有相當的貢獻。

本篇旨在批判孟子的性善論，闡明自己關於人性邪惡的社會觀。「性惡論」是荀子哲學思想的根基所在。他認為人的本性不僅沒有善端，反而有「好利」、「疾惡」、「好聲色」等惡端。但由於人有聰明才智，完全可以通過人為的努力，學禮儀，積善行，改造本性，達到聖人的境界。雖然「性惡論」沒能客觀揭示人的社會屬性，但由於強調後天學習的重要性，重視環境和教育對人的影響，主張通過禮儀法治來改造和約束人性，這對於提高人們的道德風尚和生產技能，進而提高整個社會的人口素質是有積極意義的。

擴展閱讀 ● ● ●

1. 盧梭：《人類不平等的起源和基礎》，商務印書館 1962 年版。

2. 休謨：《人性論》，商務印書館 1980 年版。

3. 亞當・斯密：《道德情操論》，北京出版社 2008 年版

4. 弗羅姆：《人心》，商務印書館 1989 年版。
5. 弗蘭克·戈布林：《第三思潮：馬斯洛心理學》，上海譯文出版社 1987 年版。
6. 徐復觀：《中國人性論史》，華東師範大學 2005 年版。
7. 艾·阿德勒：《理解人性》，貴州人民出版社 1991 年版。
8. 亞瑟·亨德森·史密斯：《中國人的人性》，中國和平出版社 2006 年版。
9. 萊斯列·斯蒂芬森：《世界十大人性哲學》，復旦大學出版社 2007 年版。

四 ●●● 對方法的探究

列寧

談談辯證法問題（節選）

統一物之分為兩個部分以及對它的矛盾著的部分的認識（參看拉薩爾的《赫拉克利特》一書第 3 篇（《論認識》）開頭所引的斐洛關於赫拉克利特的一段話），是辯證法的實質（是辯證法的「本質」之一，是它的基本的特點或特徵之一，甚至可說是它的基本的特點或特徵）。黑格爾也正是這樣提問題的（亞里斯多德在其著作《形而上學》中經常為此絞盡腦汁，並跟赫拉克利特即跟赫拉克利特的思想作鬥爭）。

辯證法內容的這一方面的正確性必須由科學史來檢驗。對於辯證法的這一方面，通常（例如在普列漢諾夫那裏）沒有予以足夠的注意：對立面的同一被當作實例的總和「例如種子」；「例如原始共產主義」。恩格斯也這樣做過。但這是「為了通俗化」……而不是當作認識的規律（以及客觀世界的規律）。

在數學中，+和-，微分和積分。

在力學中，作用和反作用。

在物理學中，正電和負電。

在化學中，原子的化合和分解。

在社會科學中，階級鬥爭。

對立面的同一（它們的「統一」，也許這樣說更正確些？雖然同一和統一這兩個術語的差別在這裏並不特別重要。在一定意義上二者都是正確的），就是承認（發現）自然界的（也包括精神的和社會的）一切現象和過程具有矛盾著的、相互排斥的、對立的傾向。要認識在「自己運動」中、自生發展中和蓬勃生活中的世界一切過程，就要把這些過程當作對立面的統一來認識。發展是對立面的「鬥爭」。有兩種基本的（或兩種可能的？或兩種在歷史上常見的？）發展（進化）觀點：認為發展是減少和增加，是重複；以及認為發展是對立面的統一（統一物之分為兩個互相排斥的對立面以及它們之間的相互關係）。

按第一種運動觀點，自己運動，它的動力、它的泉源、它的動因都被忽視了（或者這個泉源被移到外部——移到上帝、主體等等那裏去了）；按第二種觀點，主要的注意力正是放在認識「自己」運動的泉源上。

第一種觀點是僵死的、平庸的、枯燥的。第二種觀點是活生生的。只有第二種觀點才提供理解一切現存事物的「自己運動」的鑰匙，才提供理解「飛躍」、「漸進過程的中斷」、「向對立面的轉化」、舊東西的消滅和新東西的產生的鑰匙。

對立面的統一（一致、同一、均勢）是有條件的、暫時的、易逝的、相對的。相互排斥的對立面的鬥爭是絕對的，正如發展、運動是絕對的一樣。

注意：順便說一下，主觀主義（懷疑論和詭辯論等等）和辯證法的區別在於：在（客觀）辯證法中，相對和絕對的差別也是相對的。對於客觀辯證法說來，相對中有絕對。對於主觀主義和詭辯論說來，相對只是相對，因而排斥絕對。

……

辯證法是活生生的、多方面的（方面的數目永遠增加著的）認識，其中包含著無數的各式各樣觀察現實、接近現實的成分（包含著從每個成分發展成整體的哲學體系），——這就是它比起「形而上學的」唯物主義來所具有的無比豐富的內容，而形而上學的唯物主義的根本缺陷就是不能把辯證法應用於反映論，應用於認識的過程和發展。

從粗陋的、簡單的、形而上學的唯物主義的觀點看來，哲學唯心主義不過是胡說。相反的，從辯證唯物主義的觀點看來，哲學唯心主義是把認識的某一特徵、某一方面、某一側面，片面地、誇大地、überschwengliches（狄慈根）發展（膨脹、擴大）為脫離了物質、脫離了自然的、神化了的絕對。唯心主義就是僧侶主義。這是對的。但（「更確切些」和「除此而外」）哲學唯心主義是經過人的無限複雜的（辯證的）認識的一個成分而通向僧侶主義的道路。

人的認識不是直線（也就是說，不是沿著直線進行的），而是無限地近似於一串圓圈、近似於螺旋的曲線。這一曲線的任何一個片斷、碎片、小段都能被變成（被片面地變成）獨立的完整的直線，而這條直線能把人們（如果只見樹木，不見森林的話）引到泥坑裏去，引到僧侶主義那裏去（在那裏統治階級的階級利益就會把它鞏固起來）。直線性和片面性，死板和僵化，主觀主義和主觀盲目性就是唯心主義的認識論根源。而僧侶主義（＝哲學唯心主義）當然有認識論的根源，它不是沒有根基的，它無疑是一朵無實花，然而卻是生長在活生生的、結果實的、真實的、強大的、全能的、客觀的、絕對的人類認識這棵活樹上的一朵無實花。

（節選自列寧《談談辯證法問題》，《列寧選集》第 2 卷，人民出版社 1995 年版）

編選說明 ●●●

本文是列寧關於辯證法問題的著名論文。寫於 1915 年。1925 年首次發表在《布爾什維克》雜誌第 5、6 期合刊上，後編入《哲學筆記》。全文可分為兩部分。第一部分闡明辯證的發展觀和形而上學發展觀的根本區別。文中強調：對立統一規律是客觀世界和認識的根本規律；是否承認對立統一規律是兩種發展觀鬥爭的焦點；如何對待對立統一規律是區分辯證法與詭辯論的試金石；對立統一規律是把握辯證法的鑰匙。第二部分闡明認識的辯證法問題。文中強調：矛盾分析方法是認識一切事物的科學方法；每個認識命題都包含著辯證法的因素；人類認識的全過程充滿著辯證法；脫離辯證法就沒有科學的認識論。這篇論文是列寧研究辯證法問題取得的理論成果的突出表現。它補充和深化了《辯證法的要素》一文的思想，豐富和發展了唯物辯證法。在馬克思主義辯證法的發展史上佔有極其重要的地位。

毛澤東

實踐論（節選）

人的認識究竟怎樣從實踐發生，而又服務於實踐呢？這只要看一看認識的發展過程就會明瞭的。

原來人在實踐過程中，開始只是看到過程中各個事物的現象方面，看到各個事物的片面，看到各個事物之間的外部聯繫。例如有些外面的人們到延安來考察，頭一二天，他們看到了延安的地形、街道、屋宇，接觸了許多的人，參加了宴會、晚會和群眾大會，聽到了各種說話，看到了各種檔，這些就是事物的現象，事物的各個片面以及這些事物的外部聯繫。這叫做認識的感性階段，就是感覺和印象的階段。也就是延安這些個別的事物作用於考察團先生們的感官，引起他們的感覺，在他們的腦子中生起了許多的印象，以及這些印象間的大概的外部的聯繫，這是認識的第一階段。在這個階段中，人們還不能造成深刻的概念，作出合乎論理（即合乎邏輯）的結論。

社會實踐的繼續，使人們在實踐中引起感覺和印象的東西反覆了多次，於是在人們的腦子裏生起了一個認識過程中的突變（即飛躍），產生了概念。概念這種東西已經不是事物的現象，不是事物的各個片面，不是它們的外部聯繫，而是抓著了事物的本質，事物的全體，事物的內部聯繫了。概念同感覺，不但是數量上的差別，而且有了性質上的差別。循此繼進，使用判斷和推理的方法，就可產生出合乎論理的結論來。《三國演義》上所謂「眉頭一皺，計上心來」，我們普通說話所謂「讓我想一想」，就是人在腦子中運用概念以作判斷和推理的工夫。這是認識的第二個階段。外來的考察團先生們在他們集合了各種材料，加上他們「想了一想」之後，他們就能夠作出「共產黨的抗日民族統一戰線的政策是徹底的、誠懇的和真實的」這樣一個判斷了。在他們作出這個判斷之後，如果他們對於團結救國也是真實的話，那麼他們就能夠進一步作出這樣的結論：「抗日民族統一戰線是能夠成功的。」這個概念、判斷和推理的階段，在人們對於一個事物的整個認識過程中是更重要的階段，也就是理性認識的階段。認識的真正任務在於經過感覺而到達於思維，到達於逐步瞭解客觀事物的內部矛盾，瞭解它的規律性，瞭解這一過程和那一過程間的內部聯繫，即到達於論理的認識。重複地說，論理的認識所以和感性的認識不同，是因為感性的認識是屬於事物之片面的、現象的、外部聯繫的東西，論理的認識則推進了一大步，到達了事物的全體的、本質的、內部聯繫的東西，到達了暴露周圍世界的內在的矛盾，因而能在周圍世界的總體上，在周圍世界一切方面的內部聯繫上去把握周圍世界的發展。

這種基於實踐的由淺入深的辯證唯物論的關於認識發展過程的理論，在馬克思主義以前，是沒有一個人這樣解決過的。馬克思主義的唯物論，第一次正確地解決了這個問題，唯物地而且辯證地指出了認識的深化的運動，指出了社會的人在他們的生產和階級鬥爭的複雜的、經常反覆的實踐中，由感性認識到論理認識的推移的運動。列寧說過：「物質的抽象，自然規律的抽象，價值的抽象以及其它等等，一句話，一切科學的（正確的、鄭重的、非瞎說的）抽象，都更深刻、更正確、更完全地反映著自然。」馬克思列寧主義認為：認識過程中兩個階段的特性，在低級階段，認識表現為感性的，在高級階段，認識表現為論理的，但任何階段，都是統一的認識過程中的階段。

（節選自毛澤東《實踐論》，《毛澤東選集》第 1 卷，人民出版社 1991 年版）

編選說明 ●●●

《實踐論》（副標題是「論認識和實踐的關係——知和行的關係」）是毛澤東的認識論專著，寫於 1937 年 7 月。它以中國革命的豐富經驗為基礎，綜合了人類認識史上的積極成果，系統地闡述了馬克思主義的實踐觀和認識的辯證過程，揭示了認識發展的根本規律。作為毛澤東哲學思想體系形成的標誌之一，《實踐論》從哲學高度分析和批判了主觀主義，尤其是教條主義的錯誤，為我們黨取得抗日戰爭和中國革命的勝利，提供了科學的世界觀和方法論。在理論上，它豐富了馬克思主義能動的反映論，把馬克思、恩格斯和列寧關於實踐是認識的基礎的原理具體化了；把認識是個辯證發展的過程的理論系統化了，提出了兩個飛躍的理論；對馬克思主義哲學的發展和馬克思主義在中國的傳播都作出了傑出的貢獻。

毛澤東

矛盾論（節選）

和形而上學的宇宙觀相反，唯物辯證法的宇宙觀主張從事物的內部、從一事物對他事物的關係去研究事物的發展，即把事物的發展看做是事物內部的必然的自己的運動，而每一事物的運動都和它的周圍其它事物互相聯繫著和互相影響著。事物發展的根本原因，不是在事物的外部而是在事物的內部，在於事物內部的矛盾性。任何事物內部都有這種矛盾性，因此引起了事物的運動和發展。事物內部的這種矛盾性是事物發展的根本原因，一事物和他事物的互相聯繫和互相影響則是事物發展的第二位的原因。這樣，唯物辯證法就有力地反對了形而上學的機械唯物論和庸俗進化論的外因論或被動論。這是清楚的，單純的外部原因只能引起事物的機械的運動，即範圍的大小，數量的增減，不能說明事物何以有性質上的千差萬別及其互相變化。事實上，即使是外力推動的機械運動，也要通過事物內部的矛盾性。植物和動物的單純的增長，數量的發展，主要地也是由於內部矛盾所引起的。同樣，社會的發展，主要地不是由於外因而是由於內因。許多國家在差不多一樣的地理和氣候的條件下，它們發展的差異性和不平衡性，非常之大。同一個國家吧，在地理和氣候並沒有變化的情形下，社會的變化卻是很大的。帝國主義的俄國變為社會主義的蘇聯，封建的閉關鎖國的日本變為帝國主義的日本，這些國家的地理和氣候並沒有變化。長期地被封建制度統治的中國，近百年來發生了很大的變化，現在正在變化到一個自由解放的新中國的方向去，中國的地理和氣候並沒有變化。整個地球及地球各部分的地理和氣候也是變化著的，但以它們的變化和社會的變化相比較，則顯得很微小，前者是以若干萬年為單位而顯現其變化的，後者則在幾千年、幾百年、幾十年、甚至幾年或幾個月（在革命時期）內就顯現其變化了。按照唯物辯證法的觀點，自然界的變化，主要地是由於自然界內部矛盾的發展。社會的變化，主要地是由於社會內部矛盾的發展，即生產力和生產關係的矛盾，階級之間的矛盾，新舊之間的矛盾，由於這些矛盾的發展，推動了社會的前進，推動了新舊社會的代謝。唯物辯證法是否排除外部的原因呢？並不排除。唯物辯證法認為外因是變化的條件，內因是變化的根據，外因通過內因而起作用。雞蛋因得適當的溫度而變化為雞子，但溫度不能使石頭變為雞子，因為二者的根據是不同的。各國人民之間的互相影響是時常存在的。在資本主義時代，特別是在帝國主義和無產階級革命的時代，各國在政治上、經濟上和文化上的互相影響和互相激動，是極其巨大的。十月社會主義革命不只是開創了俄國歷史的新紀元，而且開創了世界歷史的新紀元，影響到世界各國內部的變化，同樣地而且還特別深刻地影響到中國內部的變化，但是這種變化是通過了各國內部和中國內部自己的規律性而起的。兩軍相爭，一勝一敗，所以勝敗，皆決於內因。勝者或因其強，或因其指揮無誤，敗者或因其弱，或因其指揮失宜，外因通過內因而引起作用。一九二七年中國大資產階級戰敗了無產階級，是通過中國無產階級內部的（中國共產黨內部的）機會主義而起作用的。當著我們清算了這種機會主義的時候，中國革命就重新發展了。後來，中國革命又受了敵人的嚴重的打擊，是因為我們黨內產生了冒險主義。當著我們清算了這種冒險主義的時候，我們的事業就又重新發展了。由此看來，一個政黨要引導革命到勝利，必須依靠自己政治路線的正確和組織上的鞏固。

辯證法的宇宙觀，不論在中國，在歐洲，在古代就產生了。但是古代的辯證法帶著自發的樸素的性質，根據當時的社會歷史條件，還不可能有完備的理論，因而不能完全解釋宇宙，後來就被形而上學所代替。生活在十八世紀末和十九世紀初期的德國著名哲學家黑格爾，對於辯證法曾經給了很重要的貢獻，但是他的辯證法卻是唯心的辯證法。直到無產階級運動的偉大的活動家馬克思和恩格斯綜合了人類認識史的積極的成果，特別是批判地吸取了黑格爾的辯證法的合理的部分，創造了辯證唯物論和歷史唯物論這個偉大的理論，才在人類認識史上起了一個空前的大革命。後來，經過列寧和斯大林，又發展了這個偉大的理論。這個理論一經傳到中國來，就在中國思想界引起了極大的變化。

這個辯證法的宇宙觀，主要地就是教導人們要善於去觀察和分析各種事物的矛盾的運動，並根據這種分析，指出解決矛盾的方法。因此，具體地瞭解事物矛盾這一個法則，對於我們是非常重要的。

（節選自毛澤東《矛盾論》，《毛澤東選集》第 1 卷，人民出版社 1991 年版）

編選説明 ●●●

《矛盾論》寫於1937年8月，是《實踐論》的姐妹篇。作為毛澤東主要哲學著作之一，《矛盾論》是毛澤東哲學思想理論化、系統化的標誌之一，在馬克思主義哲學發展史上佔有重要地住。它把中國革命戰爭的經驗與教訓上陞到哲學高度，是把馬克思列寧主義的普遍真理與中國革命具體實踐相結合的典範，為中國共產黨人和革命人民提供了科學的世界觀和方法論。在實踐上，為肅清黨內的主觀主義的惡劣影響起過重大的作用；在理論上，它系統地説明並發揮了對立統一規律，發展了馬克思主義關於對立統一規律是辯證法的實質和核心的思想，創造性地提出和闡述了矛盾的普遍性與特殊性的關係是矛盾問題的精髓的科學理論，系統地闡述了矛盾特殊性的理論，並為馬克思主義哲學在中國傳播和運用作出了貢獻。

弗蘭西斯・培根

研究事物的方法

人們已經把科學的目的和目標擺錯了。但是即使他們並沒有擺錯，他們所選擇的道路也是根本錯誤和行不通的。一個正確考慮問題的人感覺到可驚異的一件事情，便是沒有一個人肯嚴肅地直接從感覺出發，通過循序漸進和很好地建立起來的實驗進程，努力為人的理智開闢和建築一條道路，而是一切付之傳統的迷霧，或辯論的漩渦，付之遊移不定與迷離恍惚的機會和這種模糊而消化不良的經驗。現在任何人都可以冷靜地、仔細地來考慮一下，人們在研究和發現事物時所慣用的是什麼方法。

首先，他無疑會注意到一種很簡單而自然的探索方法，這是一種最通常的方法，這種方法不過就是這樣：當一個人要來發現某種東西的時候，他首先要把別人關於這種東西所說過的一切都找出來擺在自己的面前，然後他開始自己默想，這樣用絞盡了腦汁的辦法來祈求自己的精靈，似乎是把它召喚出來給他提出神的啟示。這種方法根本是沒有根據的，而只是建立在意見上面，並且為意見所驅使的。

另一個人也許會讓邏輯來給他發現這種東西，但是這和現在的問題除掉在名稱上以外並沒有關係。因為邏輯的發明並不能發現構成技術的原則和主要公理，而只能發現與這些原則和公理不相矛盾的一類東西。因為如果你變得更好奇一些，更強求和急切一些，要來追問邏輯關於核對總和發明各種原則與基本公理的問題，它的回答是大家知道的：它教你去請教你對於各種個別技術的原則所不得不具有的信仰。

此外還有簡單的經驗。這種經驗，如果是自然發生的，就叫做偶然的事情，如果是有意去尋求的，則叫做實驗。但是這種經驗並不比俗語所說的「脫帶之帚」好，它是一種暗中摸索，希望僥倖找到他們的道路；其實他們最好是等到天亮，或者點起一支蠟燭再走。和這種經驗相反，真正的經驗方法，首先就要點起蠟燭來，然後用蠟燭來照明道路，這種方法實際上是從經過適當安排和消化的經驗開始，由此尋出公理來，又從既定的公理匯出新的實驗來。

歷來研究科學的人或者是經驗主義者，或者是獨斷主義者。經驗主義者好像螞蟻，他們只是收集起來使用；理性主義者好像蜘蛛，他們從他們自己把網子造出來。但是蜜蜂則採取一種中間的道路。他從花園和田野裏面的花採集材料，真正的哲學工作者也正像這樣。因為他既不只是或不主要是依靠心智的力量，也不是從自然歷史和機械實驗中把材料收集起來，並且照原來的樣子整個保存在記憶中，他是把這種材料加以改變和消化而保存在理智中的。因此從這兩種能力之間，即實驗的和理性的能力之間的更密切和更純粹的結合（這是從來還沒有做過的），我們是可以希望得到更多的東西的。

（〔英〕弗蘭西斯·培根《研究事物的方法》，朱長超主編《世界著名科學家演說精粹》，百花洲文藝出版社 1996 年版）

編選說明 ● ● ●

弗蘭西斯·培根（Francis Bacon，1561—1626）是英國近代著名的哲學家、思想家、作家和科學家，被馬克思譽為「英國唯物主義和整個現代實驗科學的真正始祖」。主要著作有《偉大的復興》、《新工具》等。《新工具》是一部關於科學方法論的重要著作。由於培根對科學和知識的提倡，特別是他對科學方法的研究，推動了近代科學的發展，促進了科學從神學的婢女變為一種改造社會、造福人類的強大力量。

這裏所選取的是一篇培根論述科學研究方法的文章。培根的科學方法觀以實驗定性和歸納為主。在文章中，他一方面反對經驗主義者，認為他們只知道收集材料，不知道消化和加工，就像螞蟻一樣；另一方面，他也反對獨斷主義者，認為他們的研究方法就如同蜘蛛結網，沒有新東西。他主張應當像蜜蜂釀蜜一樣，採集許多的花，再經過加工，釀出不同於花粉的蜜來；主張實驗和理性的結合，這種研究方法對於近代自然科學的發展是有進步意義的。此外，生動形象的比喻使文章既通俗易懂又意蘊深邃。

笛卡兒

要認識真理必須運用正確的方法

良知是世界上分配得最均勻的東西，因為每一個人都認為自己在這一方面有非常充分的稟賦，即便是那些在別的一切方面都難滿足的人，也不大會對自己在這一方面的稟賦不滿足，更作額外的要求。在這一點上，大概並不是人人都弄錯了；這一點倒可以證明，那種正確地作判斷和辨別真假的能力，實際上也就是我們稱之為良知或理性的那種東西，是人人天然地均等的。因此，我們的意見之所以不同，並不是由於一些人所具有的理性比另一些人更多，而只是出於我們通過不同的途徑來運用我們的思想，以及考察的不是同樣的東西。因為單有良好的心智是不夠的，主要在於正確地應用它。那些最偉大的心靈既可以作出最偉大的德行，也同樣可以作出最重大的罪惡；那些只是極慢地前進的人，如果總是遵循著正確的道路，可以比那些奔跑著然而離開正確道路的人走在前面很多。

至於我，我從來沒有自負自己的心智有絲毫比一般人的心智更加完善的地方，甚至於我還常常希望自己具有同某些別的人一樣敏捷的思想，或者一樣清楚明晰的想像力，或者一樣廣闊或一樣生動的記憶力。除了這些性質以外，我不知道還有什麼別的性質可以用來使心智完善，因為說到理性或者良知，既然它是唯一使我們成為人並且使我們與禽獸有區別的東西，所以我很願意認為它在每一個人身上都是完整的，並且願意在這一方面遵從哲學家們的共同意見，他們說：同一個種類的各個個體，只是在所具有的偶性方面可以有多一些或少一些的差別，它們所具有的形式或本性則並無多少之別。

不過我可以毫不躊躇地說，我覺得我有很大的幸運，從青年時代以來，就發現了某些途徑，引導我作了一些思考，獲得一些公理，我從這些思考和公理中形成了一種方法，憑藉這種方法，我覺得自己有了依靠，可以逐步增進我的知識，並且一點一點把它提高到我的平庸的才智和短促的生命所能容許達到的最高點。因為我已經從這種方法得到了這樣一些收穫，所以雖然我對自己所作的判斷總是努力傾向於不相信的方面而不傾向於自負的方面，雖然我用哲學家的眼光去看一切人的各種活動和事業時覺得幾乎沒有一樣不是空虛無用的，然而我對於自己認為在追求真理方面所作出的進展，不禁感到一種極度的滿意，以致對將來抱著這樣大的希望：如果在純粹是人的人們的職業中間，有一種職業著著實實是良好而且重要的，我敢相信就是我所選擇的那一種。

然而可能是我弄錯了，也許我拿來當作黃金和鑽石的，只不過是一點黃銅和玻璃。我知道，我們在與自己有關的事情上是多麼容易弄錯，我也知道，我們朋友們的判斷，在使我們高興的時候，是多麼值得我們懷疑。可是我很願意在這篇談話中說出我所遵循的是些什麼途徑，並且把我的生活歷歷如繪地描述出來，使每一個人都能加以評判，以便從大家的聲音裏聽取對我的意見。這可以說是在我慣常採用的方法以外所增加的一種教育自己的新方法。

（節選自〔法〕笛卡兒《談方法》，《西方哲學原著選讀》上卷，商務

印書館 1982 年版）

編選説明 ●●●

笛卡兒不僅是一位偉大的哲學家，同時他也是一位勇於探索的科學家，被譽為「近代科學的始祖」，他所建立的解析幾何在數學史上具有劃時代的意義。在這篇所選文章中，笛卡兒非常強調方法在認識真理的過程中所起的重要作用。在他看來：如果總是遵循著正確的道路，那些只是極慢前進的人可以比那些奔跑著然而離開正確道路的人走在更前面。儘管人與人之間有個體的差異，但在本性上並沒有多大分別。他以自己親身的體會來説明，憑藉正確的方法可以逐步增進我們的知識，並且能夠有效發揮自己的潛能和才智。

朱熹

讀書之法

大凡看書，要看了又看，逐段、逐句、逐字理會，仍參諸解、傳（指傳注），說教通透，使道理與自家心相肯，方得。

讀書，須是看著他那縫罅處，方尋得道理透徹。若不見得縫罅處，無由入得。看見縫罅時，脈胳自開。

讀書，須是窮究道理徹底。如人之食，嚼得爛，方可咽下，然後有補。

看文字，須大段著精彩看。聳起精神，樹起筋骨，不要困，如有刀劍在後一般!就一段中，須要透。擊其首則尾應，擊其尾則首應，方始是。不可按冊子便在，掩了冊子便忘卻；看注時便忘了正文，看正文又忘了注。須這一段透了，方看後板[1]。

須是一棒一條痕！一摑一掌血！看人文字，要當如此，豈可忽略。

1　後板：指後一頁。

讀書之法，先要熟讀。須是正看背看，左看右看。看得是了，未可便說道是，更須反覆玩味。

少看熟讀，反覆體驗，不必想像計獲。只此三事，守之有常。

讀書不可貪多，且要精熟。如今日看得一板，且看半板，將那精力來更看前半板，兩邊如此，方看得熟。

今人讀書，看未到這裏，心已在後面；才看到這裏，便欲捨去了。如此，只是不求自家曉解。須是徘徊顧戀，如不欲去，方會認得。

大抵觀書先須熟讀，使其言皆若出於吾之口；繼之精思，使其意皆若出於吾之心，然後可以有得爾。然熟讀精思既曉得後，又須疑不止如此，庶幾[2]有進。若以為止如此矣，則終不復有進也。

讀書之法：讀一遍了，又思量一遍；思量一遍，又讀一遍。讀誦者，所以助其思量，常教此心在上面流轉。若只是口裏讀，心裏不思量，看如何也記不子細[3]。

2 庶幾：差不多。
3 子細：仔細。

心不定，故見理不得。今且要讀書，須先定其心，使之如止水、如明鏡。暗鏡如何照物！

看文字須是虛心。莫先立己意，少刻多錯了。又曰：「虛心切己。虛心，則見得道理明；切己，自然體認得出。」

看前人文字，未得其意，便容易立說，殊害事。蓋既不得正理，又枉費心力。不若虛心靜看，即涵養、究索之功，一舉而兩得之也。

讀書若有所見，未必便是，不可便執著。且放在一邊，益更讀書，以來新見。若執著一見，則此心便被此見遮蔽了……學者須是多讀書，使互相發明，事事窮到極致處。

凡讀書，先須曉得他底言詞了，然後看其說於理當否。當於理則是，背於理則非。今人多是心下先有一個意思了，卻將他人說話來說自家底意思；其有不合者，則硬穿鑿之使合。

（節選自〔宋〕黎靖德編、王星賢點校《朱子語類》，中華書局 1986 年版）

編選說明 •••

朱熹（1130—1200），字元晦，南宋徽州婺源（今江西婺源）

人。南宋著名的理學家、思想家、哲學家、教育家、詩人、閩學派的代表人物，宋代理學的集大成者。世稱朱子，是孔子、孟子以來最傑出的弘揚儒學的大師。死後，其思想被尊奉為官學。自元朝始，其關於經學注釋著作成為科舉考試的依據。

朱熹歷來強調「立身以立學為先，立學以讀書為本」。本文節選自《朱子語類》卷十、卷十一之《讀書法》（上、下），比較集中地代表了朱熹的讀書治學方法，其主要內容包括循序漸進、熟讀精思、虛心涵泳、切己體察、著緊用力、居敬持志等方面。正是依此方法，朱熹才能泛觀博覽，在繼承周敦頤、二程，兼採釋、道各家思想礎上，建構了一個「致廣大，極精微，綜羅百代」的理學體系，由此對中華文化產生深刻影響。

李四光

讀書與讀自然書

什麼是書？書就是好事的人用文字或特別的符號，或兼用圖畫將天然的事物或著者的理想（幻想、妄想、濫想都包括在其中）描寫出來的一種東西。這個定義如若得當，我們無妨把現在世界上的書籍分作幾類：（甲）原著，內含許多著者獨見的事實，或許多新理想新意見，或二者兼而有之。（乙）集著，其中包羅各專家關於某某問題所搜集的事實，並對於同項問題所發表的意見，精華叢聚，配置有條。著者或參以己見，或不參以己見。（丙）選著，擇錄大著作精華，加以鍛鍊，不遺要點，不失真諦。（丁）竊著，拾取一二人的唾餘，敷衍成篇，或含糊塞責，或斷章取義。竊著著者，名曰書盜。假若秦皇再生，我們對於這種竊著書盜，似不必予以援助。各類的書籍既是如此不同，我們讀書的人應該注意選擇。

什麼是自然？這個大千世界中，也可說是四面世界（Four dimensional world）中所有的事物都是自然書中的材料。這些材料最真實，它們的配置最適當。如若世界有美的事，這一大塊文章，我們不能不承認它再美沒有。可惜我們的機能有限，生命有限，不能把這一本大百科全書一氣讀完。如是學「科學方法」的問題發生，什麼叫做科學的方法？那就是讀自然書的方法。

書是死的，自然是活的。讀書的功夫大半在記憶與思索（有人讀書並不思索，我幼時讀四子書就是最好的一例）。讀自然書，種種機能非同時並用不可，而精確的觀察尤為重要。讀書是我和著者的交涉，讀自然書是我和物的直接交涉。所以讀書是間接的求學，讀自然書乃是直接的求學。讀書不過為引人求學的頭一段功夫，到了能讀自然書方算得真正讀書。只知道書不知道自然的人名曰書呆子。

世界是一個整體，各部分彼此都有密切的關係，我們硬把它分做若幹部，是權宜的辦法，是對於自然沒有加以公平的處理。大家不注意這種辦法是權宜的，是假定的，所以釀出許多科學上的爭論。Ievons 說按期經濟的恐慌源於天象，人都笑他，殊不知我們吃一杯茶已經牽動太陽，倒沒有人引以為怪。

我們笑腐儒讀書斷章取義，咸引為戒。今日科學家往往把他們的問題縮小到一定的範圍，或把天然連貫的事物硬劃作幾部，以為在那個範圍裏的事物弄清楚了的時候，他們的問題就完全解決了，這也未免在自然書中斷章取義。這一類科學家的態度，我們不敢贊同。

我覺得我們讀書總應竭盡我們五官的能力（五官以外還有認識的能力與否，我們現在還不知道）去讀自然書，把尋常的讀書當做讀自然書的一個階段。讀自然書時我們不可忘卻：我們所讀的一字一句（即一事一物）的意義還視全節全篇的意義為意義，否則成一個自然書呆子。

（節選自李四光《讀書與讀自然書》，《穿過地平線》，百花文藝出版社 1998 年版）

編選說明 ●●●

李四光（1889－1971），中國著名地質學家，中國地質事業的奠基者和領導人。畢生從事地質科學的研究和教育事業，成就卓著，蜚聲海內外。他創建的地質力學，提出構造體系新概念，為研究地殼構造和地殼運動、地質工作開闢了新途徑，為我國的地質、石油勘探和建設事業作出了巨大貢獻；他關於古生物蜓科化石分類標準與鑒定方法，一直沿用至今，為微體古生物研究開拓了新道路；他建立的中國第四紀冰川學，為第四紀地質研究，特別是地層劃分、氣候演變、環境治理和資源勘查等開拓了新思路，是我國冰川學研究的奠基人。本文發表在 1921 年 11 月 2 日的《北京大學日刊》上，是李四光治學思想的集中表達和生動寫照。文中，他將自然界比喻為「自然書」，而科學方法就是「讀自然書的方法」。他強調：科學研究不能把需要研究的問題縮小到很窄的範圍內，或把天然連貫的事物硬劃作幾部，而應當從科學的整體性、知識的統一化戰略高度去著眼。這裏，李四光已然洞察了現代科技高度綜合又高度分化的發展特點。

胡適

大膽的假設，小心的求證

現在有許多人說：治學問全靠有方法；方法最重要，材料卻不很重要。有了精密的方法，什麼材料都可以有好成績。這話固然不錯。同樣的材料，無方法便沒有成績，有方法便有成績，好方法便有好成績。

但我們卻不可不知道這上面的說法只有片面的真理。同樣的材料，方法不同，成績也就不同。但同樣的方法，用在不同的材料上，成績也就有絕大的不同。這個道理本很平常，但現在想做學問的青年人似乎不大瞭解這個極平常而又十分要緊的道理，所以我覺得這個問題有鄭重討論的必要。

科學的方法，說來其實很簡單，只不過「尊重事實，尊重證據」。在應用上，科學的方法只不過「大膽的假設，小心的求證」。

在歷史上，西洋這三百年的自然科學都是這種方法的成績；中國這三百年的樸學也都是這種方法的結果。顧炎武、閻若璩的方法，同葛利略（Galileo）、牛頓（Newton）的方法，是一樣的：他們都能把他們的學說建築在證據之上。戴震、錢大昕的方法，同達爾文（Darwin）、柏司德（Pasteur）的方法，也是一樣的：他們都能大膽地假設，小心地求證。

然而從梅鷟的《古文尚書考異》到顧頡剛的《古史辨》，從陳第的《毛詩古音考》到章炳麟的《文始》，方法雖是科學的，材料卻始終是文字的。科學的方法居然能使故紙堆裏大放光明，然而故紙的材料終久限死了科學的方法，故這三百年的學術也只不過文字的學術，三百年的光明也只不過故紙堆的火焰而已。

……在中國方面，除了宋應星的《天工開物》一部奇書之外，都只是一些紙上的學問；八股到古音的考證固然是一大進步，然而終究還是紙上的工夫。西洋學術在這幾十年中便已走上了自然科學的大路了……

他們的方法是相同的，不過他們的材料完全不同。顧氏、閻氏的材料全是文字的，葛利略一班人的材料全是實物的。文字的材料有限，鑽來鑽去，總不出這故紙堆的範圍；故三百年的中國學術的最大成績不過是兩大部的《皇清經解》而已。實物的材料無窮，故用望遠鏡觀天象，而至今還有無窮的天體不曾窺見；用顯微鏡看微菌，而至今還有無數的微菌不曾尋出……

不但材料規定了學術的範圍，材料並且可以大大地影響方法的本身。文字的材料是死的，故考證學只能跟著材料走，雖然不能不搜求材料，卻不能捏造材料。從文字的校勘以至歷史的考據，都只能尊重證據，卻不能創造證據。

自然科學的材料便不限於搜求現成的材料，還可以創造新的證據。實驗的方法便是創造證據的方法。平常的水不會分解成輕（氫）氣養（氧）氣；但我們用人工把水分解成輕（氫）氣和養（氧）氣，以證實水是輕（氫）氣和養（氧）氣合成的。這便是創造不常有的情境，這便是創造新證據。

紙上的材料只能產生考據的方法；考據的方法只能是被動的運動材料。自然科學的材料卻可以產生實驗的方法；實驗便不受現成材料的拘束，可以隨意創造平常不可得見的情景，逼拶出新結果來。

故材料的不同可以使方法本身發生很重要的變化。實驗的方法也只是大膽的假設，小心的求證；然而因為材料的性質，實驗的科學家便不用坐待證據的出現，也不僅僅尋求證據，他可以根據假設的理論，造出種種條件，把證據逼出來。故實驗的方法只是可以自由產生材料的考證方法。

（節選自胡適《論治學的方法與材料》，林偉民編《胡適思想小品》，上海社會科學院 1997 年版）

編選說明 ●●●

胡適（1891—1962），中國現代著名學者、詩人、歷史學家、文學家、哲學家。因提倡文學革命而成為新文化運動的領袖之一。其「適」與「適之」之名與字，乃取自當時盛行的達爾文學說「物競天擇適者生存」典故。曾師從哲學家杜威，接受其實用主義哲學，並一生服膺。還深受赫胥黎影響，自稱杜威教他怎樣思想，而赫胥黎教他怎樣懷疑。因此胡適畢生宣揚自由主義，提倡懷疑主義。

胡適畢生倡言「大膽地假設，小心地求證」、「言必有證」的治學方法。本文是胡適在 1928 年 9 月發表的《論治學的方法與材料》中的一段。文中，他強調「大膽的假設，小心的求證」是東西方所共同採用的方法，不過由於材料的不同，於是有了考據方法與實驗方法的分野。胡適一生的學術生涯都是圍繞著這一方法而展開的。這一方法影響和啟發了一大批學者。

茅以升

學習研究「十六字訣」（節選）

治學就是做學問。何謂有學問？用簡單明瞭的話說，就是懂得的知識多，能運用這些知識。范成大《送別唐卿戶曹擢第西歸》有句詩：「學力根深方蒂固」。世界上沒有「生而知之」的聖人，只有學而知之的「天才」。要使自己懂得多，首先就要學得多。我經常向青年同志們說要「博聞強記」，就是這個意思。學習要學得深，但不要鑽「牛角尖」。許多知識都是互相聯繫的。要想學得深，在某一方面作出成就，首先就要學得廣，在許多方面有一定的基礎。正像建塔一樣，一個高高的頂點，要有許多材料作基礎。世界上許許多多專家，沒有一個是鑽「牛角尖」鑽出來的。馬克思、恩格斯是搞社會科學的專家，但他們對數學有濃厚的興趣，而且很有造詣。據一些研究馬、恩的同志說，馬克思、恩格斯能在社會科學方面作出如此輝煌重大的突破和創見，一個重要的原因，是靠學數學鍛鍊了自己嚴謹的科學的思維能力。馬克思、恩格斯自己也說過類似的話。因此，要想當專家，首先應該是「博」士，要想成為某一門知識的專家的同志，千萬別把自己的視野限制在這門學科的範圍內……有些知識，看起來與自己的專業無關，但學了，見多識廣，能啟迪你的思想，加深對知識的理解，促進學習。

當然，所謂「博聞」，不是說什麼都去搞，「博聞」，不僅是對各科知識而言，一個學科裏面的各方面，也有一個「博聞」的問題。對搞專業研究的同志來說，要掌握比例，不要丟開專業，不要「喧賓奪主」……我在回顧和總結自己各項研究成果時，不能不把成績的起點上溯到求學時的「博聞強記」，因為是這種方法為以後的研究工作，打下了紮實的基礎。

「博聞強記」只能說是一種學習方法，是接受知識，為自己的研究和創造打基礎。搞研究工作，要出成果有創見，還要「多思多問，取法乎上」。有人打比方說，文章是固體，言語是液體，思想是氣體。我提倡多用這看不見、摸不著的氣體——思想。這不是怕寫文章講話要被人抓住把柄，更沒有同「知無不言」、「凡事無所不可言」背道而馳的意思。我的意思是：多想比多寫多說更重要。對知識不但要知其然，而且要知其所以然。多問幾個為什麼，大膽地提出自己的疑問和設想。學術上的許多突破和創見，無不是從大膽的懷疑或設想開始的。有疑問，有設想，才能有證實，才能有突破……現在，有的青年同志怕提問題，認為這會暴露自己的弱點。有的同志則想一步登天，不願在研究一個個的小問題上花工夫。這些都是做學問搞科研的攔路虎。荀子的《勸學》篇有句話說：「不積跬步，無以至千里，不積細流，無以成江海。」荀子這話說得很有道理。要到千里之遙，就要踏踏實實地從一步一步走起；要淵要博，就不能嫌涓涓細流。搞研究工作，只有從一個個的小問題入手，進行種種設想，提出種種方案，在各種方案的對比衡量中，採取正確的方法，才能從微到著，從小到大，有所突破，有所創見。

以上所說的這些，可以說是很一般的道理。大多數同志是明諳的，也能夠這樣做。那麼，為什麼許多同志不能達到目的呢？應該說，確實是因為先天智力不行的，那只是極少數，而極大部分同志是因為對自己所執的事業不夠專注。治學有沒有自覺性，能不能持之以恆，這是成敗的關鍵。有許多人，他（或她）的先天條件並不十分優越，可是因為他對事業專注，幾十年如一日，有的甚至撲上了全部身心，因此取得了舉世公認的成就……與此相反，也有許多人先決條件十分優越，可是因為他見異思遷，虎頭蛇尾，結果卻終身碌碌無為。這樣的例子舉不勝舉。三天打魚，兩天曬網，不是一個好漁民。怕苦怕累怕髒的人，不可能成為好的農民和工人。做學問的人也一樣，想靠憋一陣子氣，咬一下子牙而出成果，是不可能的。做學問要有決心，更要有恒心。下個決心並不難，做到有恒心就不容易了。這要靠自己督促自己。學習研究都要有計劃。有了計劃就要嚴格地執行，不要自己騙自己。我二十來歲的時候下決心搞橋樑研究，六十多年來，在理論上做了不少探討和闡述，也參加了許多大小工程的建設。每當取得一項研究成果或看到由自己參加的一項工程勝利完成時，都感到莫大的快慰，黨和人民也給了我很大的榮譽。但我總感到不足，從未產生過可以歇一歇或者改換研究課題的念頭。可以說，每時每刻，我的案頭都有幾本備讀的書，都有幾個問題在自己的考慮研究之列。這樣不間斷的學習和研究，雖然從一個時期一個階段看，收效不一定很大；但連貫起來看，就可貴了。因此，在回顧和總結自己學習經驗的時候，我要與青年同志們說的最後一句話，就是要「持之以恆」。

「博聞強記，多思多問，取法乎上，持之以恆」，這是我經常和青年同志說的幾句話，也是自己幾十年來學習研究的基本方法。權且稱為「十六字訣」吧！

（節選自茅以升《學習研究「十六字訣」》，《彼此的抵達》，百花文藝出版社 1998 年版）

編選說明 ●●●

茅以升（1896—1989），土木工程學家、橋樑專家、工程教育家，江蘇鎮江人。20 世紀 30 年代他主持設計並組織修建了錢塘江公路鐵路兩用大橋，成為中國鐵路橋梁史上的一個里程碑，在我國橋樑建設上做出了突出的貢獻。是積極宣導土力學學科在工程中應用的開拓者。在工程教育中，始創啟發式教育法，堅持理論聯繫實際，致力教育改革，為我國培養了一大批科學技術人才。

本文是茅以升應報紙之邀而作的關於「治學經驗」的談話，發表在 1981 年 12 月 2 日《浙江日報》上。文中，他結合自己從事科學研究及教育的相關經歷，提出了學習研究的「十六字訣」（基本方法）：即博聞強記、多思多問、取法乎上、持之以恆。在他看來，博聞強記是為研究和創造打基礎，多思多問是取得學術上突破的開始，只有取法乎上才能從微到著有所創見，而能不能持之以恆則是成敗的關鍵。

賀麟

讀書方法與思想方法（節選）

總結起來說，我們提出的三種思想方法，第一種邏輯的方法，可以給我們條理嚴密的系統，使我們不致支離散漫；第二種體驗的方法，可以使我們的學問有親切豐富的內容，而不致乾燥空疏；第三種玄思的方法，可以使我們有遠大圓通的哲學識見，而不致執著一偏。此處所謂邏輯方法完全是根據數學方法出發，表示理性的基本作用。此處所論體驗，實包含德國治文化哲學者如狄爾泰（Dilthey）等人所謂「體驗」和法國柏格森所謂直覺。此處所論玄思的方法，即是最平實最簡要地敘述一般人所謂辯證法。此種用「全部觀部分」，「部分觀全體」的說法以解釋辯證法，實所以發揮黑格爾「真理乃是全體」之說的精義，同時亦即表示柏拉圖認辯證法為「一中見多，多中見一」（多指部分，一指全體）之法的原旨。這三種方法並不是彼此孤立而無貫通處，但其相通之點，殊難簡單說明。概括講來，玄思的方法，或真正的辯證法，實兼具有邏輯方法與體驗方法而自成為尋求形而上學的系統知識的方法。

知道了一般的思想方法，然後應用思想方法來讀書，那真是事半而功倍。

第一，應用邏輯方法來讀書，就要看能否把握其所討論的題材的本質，並且要看著者所提出的界說，是否有系統的發揮，所建立的原則是否有事實的根據，所敘述的事實是否有原則作指導。如是就可以判斷此書學術價值的高下。同時，我們讀一書時，亦要設法把握一書的本質或精義，依據原則，發疑問，提假設，制範疇，用種種理智的活動以求瞭解此書的內容。

第二，應用體驗的方法以讀書，就是首貴放棄主觀的成見，不要心粗氣浮，欲速助長，要使自己沉潛浸潤於書籍中，設身處地，切己體察，憂泳玩索，虛心涵泳，須用一番心情，費一番神思，以審美、以欣賞藝術的態度，去讀書。要感覺得書之可樂可好，智慧之可愛。把讀同代人的書，當作就是在全國甚或世界學術之內去交朋友，去尋老師，與作者或國際友人交流思想、溝通學術文化。把讀古書當作尚友千古與古人晤對的精神生活，神游冥想於故籍的寶藏裏，與聖賢的精神相交接往來，即從這種讀書的體驗裏去理會，去反省，去取精用宏，含英咀華，去體驗古人真意，去紹述古人絕學，去發揮自己的心得。這就是用體驗的方法去讀書，也可以說是由讀書的生活去體驗。用這種的讀書法，其實也就是一種涵養功夫。由此而深造有得，則其所建立的學說，所發出的議論，自有一種深厚純樸中正和平之氣，而不致限於粗疏淺薄偏激浮囂。

第三，應用全體看部分，從部分看全體的方法以讀書，可以說是即是由約而博，由博返約之法。譬如，由讀某人此書，進而博涉及此人的其它著作，進而博涉及與此人有關之人的著作（如此人的師友及其生平所最服膺的著作）皆可說是應用由部分到全體觀的方法。然後再由此人師友等的著作，以參證、以解釋此人自己的著作，而得較深一層的瞭解，即可說是應用由全體觀部分的方法。此外如由整個時代的文化以觀察個人的著作，由個人的著作以例證整個時代的趨勢，由某一學派的立場去觀認某一家的地位，由某一家的著作以代表某一學派的宗旨，由全書的要旨以解釋一章一節，由一章一節以發明全書的精義，均可以說是應用由全觀分，由分觀全，多中見一，一中見多的玄思方法以讀書。

此法大概用來觀察歷史，評人論事，特別適用。因為必用此法以治史學，方有歷史的透視眼光或高瞻遠矚的識度。由部分觀全體，則對於全體的瞭解方親切而具體，由全體觀部分，則對於部分的評判，方持平而切當。部分要能代表全體，例證全體，遵從全體的規律，與全體有有機關係，則部分方不陷於孤立、支離、散漫無統紀。全體要能決定部分，統轄部分，指導部分，則全體方不陷於空洞、抽象、徒具形式而無內容。

因為此種玄思的方法，根本假定著作、思想、實在，都是一有機體，有如常山之蛇，擊首則尾應，擊尾則首應。故讀書，瞭解思想，把握實在，須用以全體觀部分，以部分觀全體的方法。

總之，我的意思，要從讀書裏求得真實學問，須能自用思想，不僅可讀成文的書，而且可讀不成文的書。指導如何自用思想，有了思想的方法，則讀書的方法，自可繹推演出來。必定要認真自己用思想，用嚴格的方法來讀書，方可以逐漸養成追求真實學問，研讀偉大著作的勇氣與能力，即不致為市場流行的投機應時，餌食襲取的本本所蒙蔽、所欺騙。須知不肯自用思想，未能認真用嚴格的方法以讀書，而不知道真學術唯有恃艱苦著力，循序漸進，方能有成，實不能取巧，亦是沒有捷徑可尋的。如果一個人，能用艱苦的思想，有了嚴密的讀書方法，那缺乏內容，膚淺矛盾的書，不經一讀，就知道那是沒有價值的書了，又何至於被蒙蔽呢？

（節選自賀麟《讀書方法與思想方法》，《文化與人生》，商務印書館 1988 年版）

編選說明 ●●●

賀麟（1902—1992），中國著名的哲學家、哲學史家、黑格爾研究專家、教育家、翻譯家。本文是賀麟 1943 年秋天在重慶小溫泉給新生講課的講稿，收編在他的《文化與人生》一書中。正如賀先生所說，「書中的每一篇文章都是為中國當前迫切的文化問題、倫理問題和人生問題所引起，而根據個人讀書思想體驗所得去加以適當的解答。」這些解答一則體現了其思想的敏銳與深邃，一則說明了其讀書之道。本文正是賀麟對於讀書的體會。文中，他重點論述了三種思想方法：即「邏輯的方法」、「體驗的方法」和「玄思的方法」。在他看來，邏輯的方法可給我們條理嚴密的系統，體驗的方法可使我們的學問有親切豐富的內容，而玄思的方法可使我們有遠大圓通的哲學識見。應用嚴格的思想方法來讀書，則可以不被本本所蒙蔽，而做到事半功倍。

張岱年

六經注我與我注六經

宋代理學家陸象山（九淵）的《語錄》中有這樣一段：

或問先生：何不著書？對曰：六經注我！我注六經？

陸象山的這兩句話後來成為兩句名言。

這裏「我注六經」容易理解，注六經就是對於古代經典作出解釋。但一談到解釋，就有許多麻煩問題。對於一句古書，往往有幾種不同的解釋，究竟哪個解釋是正確的呢？就以漢代的經學而論，不但今文經學與古文經學彼此不同，就在今文經學內部也存在著不同的派別。《漢書・藝文志》說：「昔仲尼沒而微言絕，七十子喪而大義乖。故《春秋》分為五，《詩》分為四，《易》有數家之傳。」到後來，更不止此數了。到宋代，宋儒解經，又與漢儒大大不同。清代經學家戴東原（震）說：「聖人之道在六經，漢儒得其制數，失其義理；宋儒得其義理，失其制數。」（《文集・與方希原書》）但是清儒的經解，也是議論紛紛，不相統一。這樣，就很容易引出一種觀點：每一個對於古書文句的解釋，只不過是他一個人自己的見解，至於古書的原意已在不可知之數了。

於是「我注六經」實際上成為「六經注我」，即借六經來表達我的思想。在長達兩千年的中國思想史上，這種情況確實是有的。就以朱熹的《四書集注》來說，其中有許多解釋確實是以朱氏自己的觀點來解釋孔丘、孟軻的語句，借孔孟的權威來宣傳自己的見解。雖然如此，但是朱熹並不承認他是在歪曲孔孟的原意，他認為他是在嚴肅地從事「我注六經」的工作。

陸九淵講「六經注我」的本意如何呢？他是否認為六經只是對於他個人的注解呢？恐怕也不能從字面來解釋。他所謂我，其實是指心而言。他曾說：「孟子云：盡其心者知其性，知其性則知天矣。心只是一個心，某之心，吾友之心，上而千百載聖賢之心，下而千百載復有一聖賢，其心亦只如此。心之體甚大，若能盡我之心，便與天同。為學只是理會此。」（《語錄》）而這個心的內容就是理。「天之所心與我者，即此心也。人皆有是心，心皆具是理，心即理也。」（《文集・與李宰》）所謂「六經注我」，其本意是說，六經都是對於我心中之理的解釋。

在歷史上，確實有借解釋經典來宣揚自己意見的情況。但陸九淵所謂「六經注我」尚非此意。

解釋古人語句，滲入解者自己的意見，這也是難免的。但是，是否因此就可以說，解釋只是表達自己的意見，而古人語句的原意已不可知呢？我以為不然。

對於孔子說道的話，漢儒有漢儒的解釋，宋儒有宋儒的解釋，清儒又提出不同於漢宋的解釋，眾說紛紜、莫衷一是。如果由此得出結論說，孔子的原意已不可知。那麼，老子所說如何呢？如果老子所說的原意亦不可知，孟子、莊子、荀子、韓非所說如何呢？如此推論下去，哲學史或思想史的研究就成為不可能了。

古今之間既不能傳遞信息，今人與今人之間就一定能相互瞭解嗎？今人某甲所說的話，其原意如何，不也會發生不同的理解嗎？

莊子就講到這個問題，他說：「夫言非吹也，言者有言，其所言者特未定也。果有言耶？其未嘗有官耶？其以為異於鷇音，亦有辨乎？其無辨乎？」（《齊物論》）人有所言，與小鳥的叫聲有區別呢，還是沒有區別呢？但是，莊子雖然提出這樣的疑問，而他還是要著書立說，希望得到人們的理解。

我認為，人與人之間還是可以相喻的。至於古代思想家的言論，如果虛心體會，也還是可以理解的。雖然不可能達到百分之百的正確理解，還是可以達到百分之八十或九十的程度。司馬遷所說：「好學深思，心知其意」，正是我們盡力以求的理想。

戴震提出解經的方法論原則，他說：「經之至者道也，所以明道者其詞也，所以成詞者字也，由字以通其詞，由詞以通其道……則知一字之義，當貫群經、本六書，然後為定。」（《文集・與是仲明論學書》）又說：「然尋求而獲，有十分之見，有未至十分之見。所謂十分之見，必徵之古而靡不條貫，合諸道而不留餘議，鉅細畢究，本末兼察。」（《文集・與姚孝廉姬傳書》）戴氏力求闡發古代經典的本義。我認為，所謂十分之見還是難以達到的，九分之見或八分之見，也可以說「雖不中，不遠矣」。

「六經者史也」（章學誠），對於六經的研究，也是對於古史的研究。我們對於零碎斷爛的甲骨都要進行研究，對於六經，可以認為沒有研究的價值嗎？但是，經學在學術領域占統治地位的「經學時代」久已過去了，今日研究六經，不過把六經看做上古的史料而已。

在經學時代，思想家們以解經的方式來表達自己的思想觀點，這是歷史條件決定的。今天，已經到達自由思想的時代，如有所見，大可直抒胸臆，不必也不應採取解經的方式了。

我認為，「注六經」的工作，還應有人繼續做下去；至於以「六經注我」的方式來表達思想，在任何意義下，都是不必要的了。

研究新問題，提出新觀點，讓創造性的思維自由翱翔!

（張岱年《六經注我與我注六經》，《宇宙與人生》，上海文藝出版社 1999 年版）

編選說明 ●●●

「六經」就是指儒家的六部經典：《詩》、《書》、《禮》、《樂》、《易》、《春秋》（因《樂》散佚，故又稱「五經」），而「注」則是中國古人做學問的一種特殊方式，即「注釋」、「注解」或「評注」等等。由宋儒陸九淵提出的「六經注我」和「我注六經」的名言，經過後人的不斷闡釋，被當作兩種不同的治學方式的象徵：所謂「六經注我」就是以「六經」來為我的思想做注解；而「我注六經」則指作者（「我」）要充分尊重「六經」的客觀真實。在這篇寫於 1987 年的文章中，作為中國哲學史研究大家的張岱年，通過對中國歷史上「六經注我」與「我注六經」諸多具體情況的辨析，最後得出了這樣的結論：經學時代的思想家們之所以用解經的方式來表達自己的思想觀點，這是由歷史條件所決定的；而在今天這個自由思想的年代，則應當直抒胸臆、「讓創造性的思維自由翱翔」。

艾思奇

「有的放矢」

為什麼用「有的放矢」來說明理論與實際的結合？這就是說，理論與實際的結合，不只是要以中國的事例來解釋理論原則，而且必須是依理論原則為指南，來解決中國革命問題。不能解決革命問題的理論，即使用極其豐富的例子來說明，仍然是死教條。

死教條不能有真正的活的理論。

對比喻不能生硬瞭解。用「矢與的」作為理論與實際的比喻，必須著眼在說明前者對於後者的作用，這樣就可以指示出兩者的密切聯繫。「矢」的作用是為要射「的」，沒有「的」，也就沒有「矢」可言，有些人以為離開了「的」，仍不失為「矢」，這是生硬的錯誤的瞭解。理論的作用在於解決實際問題，一旦離開實際，就轉化為死教條，成為主觀的空調頭，不再是真正活的理論。在有些資產階級學者眼裏看來，也許這仍是「理論」，但決不是馬克思主義的革命理論。

理論本身的成立，是緊緊地依賴於實際的，應該這樣來瞭解兩者的統一性。

因此，理論之變為教條，是非常容易的事，一不注意，你手裏所有著的東西就會變成另外一回事了。中國民間傳說中有一種專門搗蛋的五通神，得罪他時，你明明拿在手裏的黃金不覺就會變成糞土。理論自然是真金子，你常洋洋得意，以為掌握了這些財寶了，卻不知什麼時候，你的手裏就只有一把毫無用處的糞土，這不是因為你得罪了五通神，而是因為你自己違背了實際精神。

不但馬恩列斯書本上的黃金，搬到中國來會不知不覺變成糞土，就是黨的決定、指示，這是已經把馬恩列斯的理論精神正確應用於中國的實際了的，它也常常會在我們的手裏不知不覺變為泥土。

馬恩列斯的原則和精神是指南，依據它來解決中國的實際問題，就有黨的決定。黨的決定是馬克思主義理論在中國條件之下真正活的應用。它對於各個工作崗位上的同志，又成為理論原則，又成為指南，只有依據它的方向，來具體解決各工作崗位上的實際鬥爭問題時，它才能夠成為活的決定，才是真正有黃金價值的中國的馬克思主義理論。

生硬瞭解「矢與的」的比喻，會以為暫時離開了實際，理論本身仍然可以成立。不錯，是可以成立的，然而只是在詞句上，不是在實際上。

生硬瞭解「矢與的」的比喻，會以為離開了對自己崗位上的工作的具體考慮，單從詞句條文上來研究和討論黨的決定，也可以對決定獲得正確的瞭解。這是錯誤的。這樣的瞭解至多僅只能限於在詞句上，而不是實質上，真正的精神上。

讀檔，然後再檢查工作，這是整風運動規定的學習程序，也是必要的程序，但不能只從形式上來劃分這程序。以為讀檔，目的只在於掌握「矢」，而射「的」是在以後的事，以為讀檔時可以不同時聯繫著工作來理解，以為必須在理解了檔的「純粹精神」以後，然後才來考慮工作問題，這都是不對的。

（節選自艾思奇《「有的放矢」及其它》，《艾思奇文集》第 1 卷，人民出版社 1983 年版）

編選說明 •••

艾思奇（1910 年—1966 年），原名李生萱。中國著名的馬克思主義哲學家、教育家和革命家。早年留學日本，1935 年參加中國共產黨，1937 年到延安。他長期從事馬克思主義哲學研究、宣傳和教育工作，注意把馬克思主義哲學通俗化和大眾化。積極與各種唯心主義哲學論戰，捍衛辯證唯物主義和歷史唯物主義。他在宣傳毛澤東哲學思想方面亦有一定成就。著作有《大眾哲學》、《哲學與生活》等。

本文節選自艾思奇的在延安整風期間發表的文章《「有的放矢」及其它》（1942 年 5 月 5 日延安《解放日報》）的第一部分。文中，艾思奇贊成用「有的放矢」來說明理論與實際的結合，並運用唯物辯證法和科學的實踐觀，強調了「矢」的作用是為要射「的」的，沒有「的」，也就沒有「矢」可言。有些人以為離開了「的」，仍然不失為「矢」，艾思奇批評這是生硬的、錯誤的理解。「有的放矢」也反映了艾思奇自己的治學目的和態度。

丁肇中

應有格物致知精神（節選）

我父親是受中國傳統教育長大的，我受的教育一部分是傳統教育，一部分是西方教育。緬懷我的父親，我寫了《懷念》這篇文章。多年來，我在學校裏接觸到不少中國學生，因此，我想借這個機會向大家談談學習自然科學的中國學生應該怎樣瞭解自然科學。

在中國傳統教育裏，最重要的書是「四書」。「四書」之一的《大學》裏這樣說：一個人教育的出發點是「格物」和「致知」。就是說，從探察物體而得到知識。用這個名詞描寫現代學術發展是再恰當沒有了。現代學術的基礎就是實地的探察，就是我們現在所謂的實驗。

但是傳統的中國教育並不重視真正的格物和致知。這可能是因為傳統教育的目的並不是尋求新知識，而是適應一個固定的社會制度。《大學》本身就說，格物致知的目的，是使人能達到誠意、正心、修身、齊家、治國和平天下，從而追求儒家的最高理想——平天下。因為這樣，格物致知的真正意義被埋沒了。

大家都知道明朝的大理論家王陽明，他的思想可以代表傳統儒家對實驗的態度。有一天王陽明要依照《大學》的指示，先從「格物」做起。他決定要「格」院子裏的竹子。於是他搬了一條凳子坐在院子裏，面對著竹子硬想了七天，結果因為頭痛而宣告失敗。這位先生明明是把探察外界誤認為探討自己。

王陽明的觀點，在當時的社會環境裏是可以理解的。因為儒家傳統的看法認為天下有不變的真理，而真理是「聖人」從內心領悟的。聖人知道真理以後，就傳給一般人。所以經書上的道理是可「推之於四海，傳之於萬世」的。這種觀點，經驗告訴我們，是不能適用於現在的世界的。

我是研究科學的人，所以先讓我談談實驗精神在科學上的重要性。

科學進展的歷史告訴我們，新的知識只能通過實地實驗而得到，不是由自我檢討或哲理的清談就可求到的。

實驗的過程不是消極的觀察，而是積極的、有計劃的探測。比如，我們要知道竹子的性質，就要特別栽種竹樹，以研究它生長的過程，要把葉子切下來拿到顯微鏡下去觀察，絕不是袖手旁觀就可以得到知識的。

實驗的過程不是毫無選擇的測量，它需要有小心具體的計劃。特別重要的，是要有一個適當的目標，以作為整個探索過程的嚮導。至於這目標怎樣選定，就要靠實驗者的判斷力和靈感。一個成功的實驗需要的是眼光、勇氣和毅力。

由此我們可以瞭解，為什麼基本知識上的突破是不常有的事情。我們也可以瞭解，為什麼歷史上學術的進展只靠很少數的人關鍵性的發現。

在今天，王陽明的思想還在繼續地支配著一些中國讀書人的頭腦。因為這個文化背景，中國學生大部偏向於理論而輕視實驗，偏向於抽象的思維而不願動手。中國學生往往念功課成績很好，考試都得近 100 分，但是面臨著需要主意的研究工作時，就常常不知所措了。

在這方面，我有個人的經驗為證。我是受傳統教育長大的。到美國大學念物理的時候，起先以為只要很「用功」，什麼都遵照老師的指導，就可以一帆風順了，但是事實並不是這樣。一開始做研究便馬上發現不能光靠教師，需要自己做主張、出主意。當時因為事先沒有準備，不知吃了多少苦。最使我彷徨恐慌的，是當時的唯一辦法——以埋頭讀書應付一切，對於實際的需要毫無 明。

我覺得真正的格物致知精神，不但是在研究學術中不可缺少，而且在應付今天的世界環境中也是不可少的。在今天一般的教育裏，我們需要培養實驗的精神。就是說，不管研究科學，研究人文學，或者在個人行動上，我們都要保留一個懷疑求真的態度，要靠實踐來發現事物的真相。現在世界和社會的環境變化得很快，世界上不同文化的交流也越來越密切。我們不能盲目地接受過去認為的真理，也不能等待「學術權威」的指示。我們要自己有判斷力。在環境激變的今天，我們應該重新體會到幾千年前經書裏說的格物致知真正的意義。這意義有兩個方面：第一，尋求真理的唯一途徑是對事物客觀的探索；第二，探索的過程不是消極的袖手旁觀，而是有想像力的有計劃的探索。希望我們這一代對於格物和致知有新的認識和思考，使得實驗精神真正地變成中國文化的一部分。

（節選自丁肇中《應有格物致知精神》，朱長超主編《世界著名科學家演說精粹》，百花洲文藝出版社 1996 年版）

編選說明 •••

丁肇中（1936—），美國華裔物理學家。在科學研究中非常重視實驗。因發現了一種新的亞原子粒子——J 粒子（以與其中文姓氏「丁」類似的英文字母命名）而於 1976 年獲諾貝爾物理學獎。本文是丁肇中 1991 年 10 月 18 日在北京人民大會堂舉行的《情係中華》大會上發表的一篇演講詞。他以自身的治學經驗向中國青年學生提出殷切期望，不要去等待權威的指示，要保持一種懷疑求真的、積極的態度去探尋真理。真理的獲得需要通過對客觀事物努力地求索，而不能寄希望於只通過內心的「格物致知」去取得。作者對中國傳統文化中的弱點作了深刻的剖析，提出了新的時代下的格物致知之道。這對於從事科學研究的青年學子很有教育意義。文中提出的使實驗精神真正地成為中國文化的一部分的思想，對於克服中國傳統文化中的落後面，塑造新的民族精神，具有深刻的啟示意義。

擴展閱讀 •••

1. 弗蘭西斯·培根：《新工具》，北京出版社 2008 年版。
2. 笛卡兒：《談談方法》，商務印書館 2000 年版。
3. 列寧：《哲學筆記》，《列寧全集》第 55 卷，人民出版社 1990 年第 2 版。
4. 溫濟澤編：《馬克思恩格斯列寧斯大林論思想方法和工作方法》，人民出版社 1984 年版。

5. 胡適：《治學方法》，遼寧人民出版社 2000 年版。

6. 張岱年、成中英等：《中國思維偏向》，中國社會科學出版社 1991 年版。

7. 李茂：《哲學方法論綱》，陝西人民出版社 1994 年版。

8. 金京振：《哲學方法概論》，民族出版社 1998 年版。

9. 吳元樑：《科學方法論基礎》（增補本），中國社會科學出版社 2008 年版。

五 ●●● 對存在的追問

德謨克里特

人應當怎樣活著

（1）卑劣地、愚蠢地、放縱地、邪惡地活著，與其說是活得不好，不如說是慢性死亡。

（2）追求對靈魂好的東西，是追求神聖的東西；追求對肉體好的東西，是追求凡俗的東西。

（3）應該做好人，或者向好人學習。

（4）使人幸福的並不是體力和金錢，而是正直和公允。

（5）在患難時忠於義務，是偉大的。

（6）害人的人比受害的人更不幸。

（7）做了可恥的事而能追悔，就挽救了生命。

（8）不學習是得不到任何技藝、任何學問的。

（9）蠢人活著卻嘗不到人生的愉快。

（10）蠢人是一輩子都不能使任何人滿意的。

（11）醫學治好身體的毛病，哲學解除靈魂的煩惱。

（12）智慧生出三種果實：善於思想，善於說話，善於行動。

（13）人們在祈禱中懇求神賜給他們健康，卻不知道自己正是健康的主宰。他們的無節制戕害著健康；他們放縱情慾，自己背叛了自己的健康。

（14）人們通過享樂的節制和生活的協調，才得到靈魂的安寧；缺乏和過度慣於變換位置，引起靈魂的大騷動；搖擺於這兩個極端之間的靈魂是既不穩定又不安寧的。因此應當把心思放在能夠辦到的事情上，滿足於自己可以支配的東西。不要光是看著那些被嫉妒、被羨慕的人，思想上跟著那些人跑。倒是應該把眼光放到生活貧困的人身上，想想他們的痛苦，這樣，就會感到自己的現狀很不錯，很值得羨慕了，就不會老是貪心不足，給自己的靈魂造成苦惱了。因為一個人如果羨慕財主，羨慕那些被認為幸福的人，時刻想念著他們，就會不由自主地不斷搞出些新花樣，由於貪得無厭，終於做出無可挽救的犯法行為來。因此，不應該貪圖那些不屬於自己的東西，而應該滿足於自己所有的東西，把自己的生活與那些更不幸的人比一比，想想他們的痛苦，自己就會慶幸命運比他們好了。採取這種看法，就會生活得更安寧，就會驅除掉生活中的幾個惡煞：嫉妒、眼紅、不滿。

（15）應當認定國家的利益高於一切，以便把國家治理好。決不能讓爭吵破壞公道，也不能讓暴力損害公益。因為治理得好的國家是最可靠的保證，一切都繫於國家。國家健全就一切興盛，國家腐敗就一切完蛋。

（16）在民主國家裏受窮，勝於在專制國家裏享福，正如自由勝於受奴役一樣。

（17）內戰對雙方都有害，它使勝敗雙方同遭毀滅。

（18）只有團結一致，才能辦好大事，例如進行戰爭，不團結是辦不到的。

（19）法律的目的是使人們生活得好，可是要達到這個目的，一定要人們願意幸福。對遵守法律的人，法律才是有效的。

（20）統治權自然屬於上等人。

（21）你要像使用四肢一樣使用奴隸，讓這一些幹這種活，讓那一些幹那種活。

（22）應該洞察到人生是脆弱的、短促的、多災多難的，所以應該只要一份中等財富，把大量努力用在最必需的事情上。

（節選自〔古希臘〕德謨克里特《德謨克里特》，《西方哲學原著選讀》上卷，商務印書館 1982 年版）

編選說明 ● ● ●

德謨克利特（Demokritos，約公元前 460—公元前 370），古希臘偉大的唯物主義哲學家，原子唯物論學說的創始人之一。一生勤奮鑽研學問，知識淵博，著作宏富，在哲學、物理、數學、天文、藝術等諸多領域都有所建樹，是古希臘傑出的全才，在古希臘思想史上佔有重要的地位。所著《小宇宙秩序》、《論自然》、《論人生》等均失傳，僅有殘篇存世。

德謨克利特在倫理觀上強調：人的自然本性就是趨樂避苦，而道德的標準即是快樂和幸福。能求得快樂即為善，反之則為惡。但他所說的快樂並不是暫時的、低級的感官享樂，而是有節制的、精神的寧靜和愉悅。他強調德行不僅是言辭，更重要的還是思想和行動，人們應該熱心地按照道德行事而不只是空談。這裏所選的是德謨克里特的著作殘篇，主要是他探討如何才能獲得倖福人生的箴言，反映了他在倫理觀上的主張。

笛卡兒

我思故我在

我早就指出過，在行為方面，有時候需要遵從一些明知不可靠的意見，把它們當作無可懷疑的意見看待，就像上面所說過的那樣。但是由於我現在只要求專門研究真理，我想我的做法應當完全相反，我應當把凡是我能想出其中稍有疑竇的意見都一律加以排斥，認為絕對虛假，以便看一看這樣以後在我心裏是不是還剩下一點東西完全無可懷疑。所以，由於我們的感官有時候欺騙我們，我就很願意假定，沒有一件東西是像感官使我們想像出的那個樣子，因為有些人連在對一些最簡單的幾何問題進行推斷時也會弄錯，並且作出一些謬論來，而我斷定自己也和任何一個別的人一樣容易弄錯，所以我就把我以前用來進行證明的那些理由都一律擯棄，認為是虛假的。最後，我覺察到我們醒著的時候所有的那些思想，也同樣能夠在我們睡著的時候跑到我們心裏來，雖然那時沒有一樣是真實的，因此，我就決定把一切曾經進入我的心智的事物都認為並不比我夢中的幻覺更為真實。可是等我一旦注意到，當我願意像這樣想著一切都是假的的時候，這個在想這件事的「我」必然應當是某種東西，並且覺察到「我思想，所以我存在」這條真理是這樣確實，這樣可靠，連懷疑派的任何一種最狂妄的假定都不能使它發生動搖，於是我就立刻斷定，我可以毫無疑慮地接受這條真理，把它當作我所研求的哲學的第一條原理。

然後，我就小心地考察我究竟是什麼，發現我可以設想我沒有身體，可以設想沒有我所在的世界，也沒有我所在的地點，但是我不能就此設想我不存在，相反的，正是從我想到懷疑一切其它事物的真實性這一點，可以非常明白、非常確定地推出：我是存在的；而另一方面，如果我一旦停止思想，則縱然我所想像的其餘事物都真實地存在，我也沒有任何理由相信我存在，由此我就認識到，我是一個實體，這個實體的全部本質或本性只是思想，它並不需要任何地點以便存在，也不依賴任何物質性的東西。因此這個「我」，亦即我賴以成為我的那個心靈，是與身體完全不同的，甚至比身體更容易認識，縱然身體並不存在，心靈也仍然不失其為心靈。

以後我就一般的來考察一個命題之所以真實確定的必要條件，因為我既然已經發現了一個命題，知道它是真實確定的，我想我也應當知道這種確定性究竟是在於哪一點。我發覺在「我思想，所以我存在」這個命題裏面，並沒有任何別的東西使我確信我說的是真理，而只是我非常清楚地見到：必須存在，才能思想。於是我就斷定：凡是我們十分明白、十分清楚地設想到的東西，都是真的。我可以把這條規則當作一般的規則，不過要確切地看出哪些東西是我們清楚地想到的，卻有點困難。

（節選自〔法〕笛卡兒《談方法》，《西方哲學原著選讀》上卷，商務印書館 1982 年版）

編選說明 ●●●

勒奈・笛卡兒（Rene Descartes，1596—1650），十七世紀法國卓越的哲學家、物理學家、數學家、生理學家，堪稱近代歐洲哲學界和科學界最有影響的巨匠之一。他開創了近代哲學的理論體系，明確地把人與自然、精神與物質、身體與心靈區分開來。認為世界就是二元的，自然就是在我之外，與我鮮明對峙。他的理論體系使人與自然的關係發生了根本變革，在哲學史上產生了深遠的影響。

「我思想，所以我存在」（「我思故我在」）這一命題的基本意思是，當我在懷疑一切時，卻不能懷疑那個正在懷疑著的「我」的存在。因為這個「懷疑」本身是一種思想活動，而這個正在思想著、懷疑著的「我」的本質也是一種思想活動。這一命題既是他全部認識論哲學的起點，也是他「普遍懷疑」論的終點。由此出發，他確證了人類知識的合法性。笛卡兒這一命題最終所要表達的應當是對自我及自我精神的一種肯定，對人類理性的一種肯定。

巴斯卡

人是思想的葦草

思想形成人的偉大。

人只不過是一根葦草，是自然界最脆弱的東西，但他是一根能思想的葦草。用不著整個宇宙都拿起武器來才能毀滅，一口氣、一滴水就足以致他死命了。然而，縱使宇宙毀滅了他，人卻仍然要比致他於死命的東西更高貴得多。因為他知道自己要死亡，以及宇宙對他所具有的優勢，而宇宙對此卻是一無所知。

因而，我們全部的尊嚴就在於思想。正是由於它而不是由於我們所無法填充的空間和時間我們才必須提高自己。因此，我們要努力好好地思想。這就是道德的原則。

能思想的葦草——我應該追求自己的尊嚴，絕不是求之於空間，而是求之於自己的思想的規定。我佔有多少土地都不會有用，由於空間，宇宙便囊括了我併吞沒了我，有如一個質點；由於思想，我卻囊括了宇宙。

人既不是天使，又不是禽獸。但不幸就在於想表現為天使的人卻表現為禽獸。

思想——人的全部的尊嚴就在於思想。

因此，思想由於它的本性，就是一種可驚歎的、無與倫比的東西。它一定得具有出奇的缺點才能為人所蔑視；然而它又確實具有，所以再沒有比這更加荒唐可笑的事了。思想由於它的本性是何等地偉大啊！思想又由於它的缺點是何等地卑賤啊！

然而，這種思想又是什麼呢？它是何等地愚蠢啊！

人的偉大之所以為偉大，就在於他認識自己可悲。一棵樹並不認識自己可悲。

因此，認識〔自己〕可悲乃是可悲的；然而認識我們之所以為可悲，卻是偉大的。

這一切的可悲其本身就證明了人的偉大。它是一位偉大君主的可悲，是一個失了位的國王的可悲。

我們沒有感覺就不會可悲；一棟破房子就不會可悲。只有人才會可悲。Ego vir videns[1]。

人的偉大——我們對於人的靈魂具有一種如此偉大的觀念，以致我們不能忍受它受人蔑視，或不受別的靈魂尊敬；而人的全部的幸福就在於這種尊敬。

人的最大的卑鄙就是追求光榮，然而這一點本身又正是他的優異性的最大的標誌，因為無論他在世上享有多少東西，享有多少健康和最重大的安適，但假如他不受人尊敬，他就不會滿足。他把人的理智尊崇的那麼偉大，以致無論他在世上享有多大的優勢，但假如他並沒有在別人的理智中也佔有優勢地位，他就不會愜意的。那是世界上最美好的地位，無論什麼都不能轉移他的這種願望，而這就是人心之中最不可磨滅的品質。

1　〔我是遭遇過的人〕。《耶利米哀歌》第3章第1節：「我是……遭遇困苦的人。」

而那些最鄙視人並把人等同於禽獸的人們，他們也還是願望著被人羨慕與信仰，於是他們就由於本身的情操而自相矛盾。他們的天性來得比一切都更加有力，他們的天性之使他們信服人的偉大要比理智之使他們信服人的卑鄙更加有力得多。

人的這種兩重性是如此之顯著，以至於有人認為我們具有兩個靈魂。一個單一的主體，在他們看來彷彿是不可能這樣的，並且如此之突然地使內心從一種過分的傲慢轉化為一種可怕的沉淪。

使人過多地看到他和禽獸是怎樣的等同而不向他指明他的偉大，那是危險的。使人過多地看到他的偉大而不向他指明他的卑鄙，那也是危險的。讓他對這兩者都加以忽視，則更為危險。然而把這兩者都指明給他，那就非常之有益了。

絕不可讓人相信自己等於禽獸，也不可等於天使，也不可讓他對這兩者都忽視；而是應該讓他同時知道這兩者。

我不能容許人依賴自己，或者依賴別人，為的是好使他們既沒有依靠又沒有安寧。

如果他抬高自己，我就貶低他；如果他貶低自己，我就抬高他；並且永遠和他對立，直到他理解自己是一個不可理解的怪物為止。

我要同等地既譴責那些下定決心讚美人類的人，也譴責那些下定決心譴責人類的人，還要譴責那些下定決心自尋其樂的人；我只能贊許那些一面哭泣一面追求著的人。

最好是由於徒勞無功地尋求真正的美好而感到疲憊，從而好向救主伸出手去。

對立性——在已經證明了人的卑賤和偉大之後——現在就讓人尊

重自己的價值吧。讓他熱愛自己吧，因為在他身上有一種足以美好的天性；可是讓他不要因此也愛自己身上的卑賤吧。讓他鄙視自己吧，因為這種能力是空虛的；可是讓他不要因此也鄙視這種天賦的能力。讓他恨自己吧，讓他愛自己吧：他的身上有著認識真理和可以幸福的能力；然而他卻根本沒有獲得真理，無論是永恆的真理，還是滿意的真理。

因此，我要引入渴望尋找真理並準備擺脫感情而追隨真理（只要他能發現真理），既然他知道自己的知識是怎樣地為感情所蒙蔽；我要讓他恨自身中的欲念——欲念本身就限定了他——以便欲念不至於使他盲目地做出自己的選擇，並且在他做出選擇之後不至於妨礙他。

所有這些對立，看來彷彿是最使我遠離對宗教的認識的，卻是最足以把我引向真正宗教的東西。

（節選自〔法〕巴斯卡著，何兆武譯《巴斯卡思想錄》，陝西師範大學出版社 2003 年版）

編選說明 •••

布萊茲·巴斯卡（Blaise Pascal，1623—1662），是法國 17 世紀著名數理科學家、哲學家、散文家和宗教色彩濃厚的思想家。所著《思想錄》與蒙田的《隨筆集》、培根的《人生論》一起被譽為歐洲近代三大經典哲理散文。本文即選自《思想錄》。巴斯卡在短暫的一生中，不僅在科學上取得了許多重大成果，而且對宗教有著極為獨特而深刻的思想感悟。「人是思想的葦草」，這一令人難忘而又令人深思的生動比喻說明，一方面人在宇宙中渺小得微不足道，但另一方面人卻具有思想的能力；一方面人是可悲的，但另一方面人卻能夠認識到自己的可悲。而這正是人的偉大之處。雖然人「身上有著認識真理和可以幸福的能力」，但人最終還是「不可理解的怪物」，只有「向救主伸出手去」才是人的唯一希望。巴斯卡的思想，既夾雜有若干辯證思想的因素，又籠罩著濃厚的悲觀主義不可知論色彩。當然，這些因時代、階級和他本人傾向性的局限所帶來的消極影響，難掩其思想的深邃及理性的光芒。

康德

我們頭上的燦爛星空

有兩種偉大的事物，我們越是經常、越是執著地思考它們，我們心中就越是充滿永遠新鮮、有增無減的讚歎和敬畏：

我們頭上的燦爛星空，
我們心中的道德法則！

我無需苦苦搜尋它們，無需費心揣度它們，彷彿它們已蒙上幽玄的面紗，或者高聳在我無法企及的上界似的。我盯住它們，就在我的眼前；我的生存意識與它們親密無間、直接相連。前一種事物，就從這個地方開始，就從我在身外的感性世界中所佔領的這個位置開始，把我在其中的聯繫向外擴展，一直擴展到世界接世界、星係套星係的無限遼闊的天宇中，一直擴展到這些星係世界生成毀滅、再生成再毀滅、持續不斷周期運行的無窮綿延的時間中；第二種事物，則從我的無形自我開始，從我的人格開始，一直把我展現到一個真正無限的世界裏。只不過，這個世界唯有知性才能探索，而且我發現，我和這個世界並不是處在一種純粹偶然的聯繫中，而是處在一種普遍的、必然的聯繫中，正像我和那一切有形世界的聯繫一樣。前一個重重無盡的世界景觀，彷彿是把我作為一個動物所具有的重要性一舉殲滅了，這個動物不知怎的在短期內賦有生命力，然後又不得不再度把造成它的那些物質歸還給它居住的那個行星，而這個行星在浩瀚宇宙中也只是一粒微塵。第二種景觀就根本不同了。它以我的人格，把我作為一個精靈所具有的價值，無限地提升上去。在我的人格中，道德法則向我啟示著一種獨立的生命，一種獨立於動物性，甚至獨立於全部感性世界之外的生命——這一點，至少可以從用這條法則為我的生存指定的終極歸宿推導出來。這個終極歸宿並不是嚴格限定在今生今世的條件和範圍內，而是一往無前、直通無限的。

可是，景仰和敬重雖然能夠激發人們從事研究，卻又不能代替研究。那麼，為了以一種既富有成效又適合於課題崇高性的方式投入這一探索，應當做些什麼呢？在這裏，前人的先例既可以當作一種警告，也可以供人效法。對大千世界的沉思，本來始於人類感官向我們呈現最為輝煌壯麗的景觀，始於人類知性對這一廣漠無際、浩渺無垠的壯麗景觀殫精竭慮的品質開始，這些品質的發展和培養，向人們展現了無限利用的前景，而它卻終歸於荒誕或迷信。其它一切拙劣的嘗試也是如此，這些嘗試的大部分工夫依賴於理性的運用，而理性的運用卻不像雙腳的運用那樣，可以通過頻繁的練習自行純熟，特別是當所研究的那些品質不能直接在普通經驗中呈現出來時，就更是如此了。但是，研究工作的指導原則，儘管姍姍來遲，它一旦風行起來，宇宙結構的研究就會完全扭轉方向，並獲得無比圓滿的成就——這個指導原則就是，要預先仔細審察理性打算採取的所有步驟，只准它在早已深思熟慮的方法軌道上一步一步前進，不得旁生枝節。石頭的下落，投石器的運動，如果把它們的各種元素和它們表現的各種力量加以分解，並經過數學的處理，最後就會對世界的系統性產生一種清楚明白、今後再也無法改變的深刻洞見。這種洞見隨著觀察的繼續，可望不斷擴大自己、直到永遠，然而，卻絕對不必擔心被迫倒退回去。

這個例子指點我們踏上同一條道路，去處理我們天性中的道德才能，也可以賦予我們希望，去獲得同樣圓滿的成就。關於理性的道德判斷，我們手頭就有許多例證。把這些道德判斷分解為它們的基本概念，並且由於數學，很遺憾還沒有成熟到應有的程度，以至不能在此處加以應用，我們只好採用類似化學實驗那樣一種進程，把也許可以從這些判斷中發現的經驗元素跟其中的理性元素分離開來，放到普通常識中反覆試驗，這樣，我們就可以把兩者都純粹地呈現出來，並且明確無誤地認識到每一成分能夠自動完成什麼，以便第一，未經預防那種未經訓練、仍很拙樸的判斷錯誤，以及第二，謹防天才的橫溢，這一點重要得多，因為這種天才的放肆濫用，就像所謂點金石大師們那樣，對大自然不做任何系統的研究和認識，就幻想出種種珍寶來，以此向世人吹牛許諾，卻把真正的寶貝扔掉了。一言以蔽之，唯有科學，即經過批判性的研究和系統性的指導的學問，才是通向真正的實踐智慧學的那扇窄門，假如我們所說的實踐智慧學，不但是指一個人應當做什麼，而且是指教師們應當採用什麼指南，去指導修造人人要走的智慧之路，把它造得結結實實，明明朗朗，防止其它人誤入歧途。哲學必須永遠繼續成為這種學問的監護者，而且，雖然公眾對哲學的玄思沒有任何興趣，但是，對於這樣一種考察所首次闡明的那些實際智慧，他們一定會有興趣。

（節選自〔德〕康德《實踐理性批判》，《宇宙簡史：無限宇宙中的無

限智慧》，中國言實出版社 2008 年版）

編選説明 ●●●

伊曼努爾．康德（Immanuel Kant，1724—1804），德國哲學家、天文學家、星雲説的創立者之一、德國古典哲學的創始人，被認為是對現代歐洲最具影響力的思想家之一，也是啟蒙運動最後一位主要哲學家。康德的哲學具有劃時代的意義。有人把它比作蓄水池，前人的思想彙集於此，後人的思想則從中流出來；也有人將他的哲學比作一座橋，想入哲學之門就得通過康德之橋。

本文選自他的哲學名著《實踐理性批判》（1788 年）的結論部分。相對於思辨理性而言，實踐理性是指不依賴於任何經驗內容的道德意識。經由實踐理性，人所能得到的最高賜予便是「心中的道德法則」。雖然面對「燦爛星空」，人只是世界中被賦予了短暫生命的極其渺小的一個動物，然而「道德法則」卻使人作為理性的存在而得以不斷提升，由獨立於動物性及至獨立於整個感性世界而存在。文中的那句膾炙人口的箴言，後來被人們鐫刻在康德的墓碑上，不僅成為哲學家的人生寫照，而且也成為對人類理性認識歷史的最好詮釋。

費希特

人的最終使命（節選）

人的最終和最高目標是人的完全自相一致，而且為了使人能自相一致，還在於人以外的一切事物同他對於事物的必然實踐概念相一致，這種概念決定著事物應該是怎樣的。用批判哲學的術語來說，這種一致一般就是康德稱為至善的那種東西。從上所述可以看出，這個至善本身根本不具有兩部分，而是完全單純的；至善就是理性生物的完全自相一致。至於說到取決於自身之外的事物的理性生物，它倒可以被看做是雙重性的：一是意志同永遠有效的意志的觀念相一致，或者叫做倫理的善，一是我們之外的事物同我們的意志（當然指我們的理性意志）相一致，或者叫做幸福。因此（可以順便指出），認為人由於渴求幸福，注定會達到倫理的善，這種看法是完全不對的，倒不如說，幸福概念本身以及對於幸福的渴求才是從人的倫理本性中產生的。並非造福的東西就是善的，而是只有善的東西才是造福的。沒有倫理就不可能有幸福。當然，不講倫理甚至在反對倫理的鬥爭中也可能產生快感，我們到適當時候將看到為什麼會這樣，但這種快感並不是幸福，反而甚至常常是與幸福背道而馳的。

使一切非理性的東西服從於自己，自由地按照自己固有的規律去駕馭一切非理性的東西，這就是人的最終目的；如果人不停止其為人，如果人不變成上帝，那麼這個最終目的是完全達不到的，而且必定是永遠達不到的。在人的概念裏包含著這樣一個意思：人的最終目標必定是不能達到的，達到最終目標的道路必定是無限的。因此，人的使命並不是要達到這個目標。但是，人能夠而且應該日益接近這個目標。因此，無限地接近這個目標就是他作為人的真正使命，而人既是理性的生物，又是有限的生物；既是感性的生物，又是自由的生物。如果把完全的自相一致稱為最高意義上的完善，就像人們能夠理所當然地稱呼的那樣，那麼完善就是人不能達到的最高目標；但無限完善是人的使命。人的生存目的，就在於道德的日益自我完善，就在於把自己周圍的一切弄得合乎感性；如果從社會方面來看人，人的生存目的還在於把人周圍的一切弄得更合乎道德，從而使人本身日益幸福。

這就是被看做孤立的人的使命，所謂孤立就是指人與其同類理性生物沒有關係。但實際上我們並不是離群索居的，雖然我今天不打算著重考察理性生物彼此之間的一般結合，然而，對於我今天與你們各位先生之間的這種結合我還是必須作一種概括的考察。我今天向你們扼要指出的那個崇高的使命，就是我應當使許多大有希望的年輕人明確地認識到的使命；我希望這個使命成為你們全部生活的至高無上的目的和堅守不渝的指南；年輕人本來就肩負著一項使命，他們將在大小不同的範圍內以自己的學說或行動，或者以這兩者，再對人類發生強有力的影響，不斷傳播他們自己所獲得的教養，處處造福於跟我們休戚與共的同胞，把他們提高到更高的文化階段；我在陶冶年輕人的時候，很可能也在同時陶冶著千百萬尚未誕生的人們。如果你們當中的某些人對我有善意的評論，認為我感覺到了我這個特殊使命的尊嚴，認為我在我的研究和教學生涯中作為最高目的的，是在你們諸位先生當中，在同你們將會有共同接觸點的一切人當中促進文化教養，提高人道修養，認為我把一切不適用於這個目標的哲學和科學都視為毫無意義的——如果你們都這麼對我作出評論的話，那麼我也許可以這麼說，你們對我的意志的評論是完全正確的。我的力量能在多大程度上符合於這個願望，這不完全取決於我自己；一部分要取決於我們所不能掌握的一些情況，一部分還要取決於你們諸位，取決於我所要求你們給予的關注，取決於我欣然充滿信心地指望於你們的個人勤奮，取決於你們對我的信賴，這種信賴是我應該得到的，並且我將努力以行動得到這種信賴。

（節選自〔德〕費希特著，梁志學等譯《人的最終使命》，《論學者的使命、人的使命》，商務印書館 1984 年版）

編選説明 • • •

約翰·戈特利布·費希特（Johann Gottlieb Fichte，1762—1814 年），德國古典唯心主義哲學家。他不贊同康德對於物自體存在問題的論述，主張應拋棄這個概念，取而代之的是一種絕對自我的概念。他將理論理性和實踐理性融為一體，並給予自我以相當高的地位，賦予了自我創造性行動的可能。費希特往往被認為是連接康德和黑格爾兩人哲學間的過渡人物。不過近些年來，他的地位因學者們注意到他對自我意識的深刻理解而重新得到認識。

本文是費希特 1794 年 5 到 6 月間在德國耶拿大學主持哲學系列講座的開講篇，從哲學角度闡述了學者以及人類的最終目的和使命。在他看來，人的最終目的將是自由地按自己的規律去駕馭一切非理性的東西。人的最終目的（至善）是永遠實現不了的，所以人的使命並不是達到這一目標而是無限接近這一目標。費希特關於絕對自我的論說不免有強烈的唯心主義色彩，但他強調人的自由、尊嚴和使命卻是極具思想性和啟發性的。

叔本華

生存空虛論（節選）

生存之所以空虛，在以下幾點中都能很明顯地表現出來：第一，在生存的全形式中，「時」與「處」本身是無限的，而個人所擁有的極其有限；第二，現實唯一的生存方式，只是所謂「 那的現在」的現象；第三，一切事物都是相關聯、相依憑的，個體不能單獨存在；第四，世上沒有「常駐」的東西，一切都是不停的流轉、變化；第五，人類的欲望是得隴而望蜀，永遠無法饜足；第六，人類的努力經常遭遇障礙，人生為了克服它，必須與之戰鬥，予以剪除。

在「時」與「時」之中，或是由於「時」而發生的萬物的轉變，只不過是形式而已，在此形式之下，恒久不滅的「生存的意志」所表示的是，一切的努力都歸於空零。「時」以它的力量，使所有的東西在我們的手中，化為烏有，萬物為此而喪失了真價值。

曾經存在的東西，如今已經不復存在。現在不存在的，恰和曾經不存在的東西一樣。然而現在所有的存在，在轉瞬間，又成了「曾經」存在。所以，「現在」儘管是如何的稀鬆平常，也總優於過去的最高價值，因為前者是現實的，兩者之間的關係，如同「有」之對於「無」。

在人類悠長的歷史中，我們突如其來地生存在世上，又倏爾歸於消滅，恐怕連自己也感到驚奇不已。對於這種見解，感情將會反抗說：「這絕不是正確的。」連最膚淺的悟性，觀察這種事情時，也會預感「時」在其性質上不正是某種理想的東西嗎？想想，「時」和「處」的理想性，實是開啟一切真正形而上學秘庫的鑰匙。因為，有了這理想性，才可以製造和事物的自然秩序完全相異的秩序。康德之所以偉大，理由在此。

我們的一生中雖然做了許多事情，但所擁「有」的，只不過是一瞬間而已，過後，就非以「曾經有過」這句話來表示不可了。午夜思維，我們難免感歎我們的生活一天比一天貧乏，因而心裏隱藏一種意識：如果那取之不盡的源泉屬於我們所有，我們不就可在其中得到新的生命之「時」？這是蘊藏在我們的本質最深處的意識，如果它不存在的話，我們眼看著我們短暫的生命時間，一刻刻地過去，恐怕會急得發瘋吧！

以這觀察為基礎，的確可以建立如下的論說：只有「現在」才是真實的，其它的一切不過是思想的遊戲，所以，人生的目的，人生的最大真理是及時行樂。但這種見解，也是最愚蠢的見解，因為在其次的瞬間就不復存在，如夢幻般完全消失，這樣的收穫，絕不值得我們費偌大的苦心和勞力去爭取。

我們的生存，除了「現在」漸漸消失外，再也沒有可供立足的任何基礎。所以，生存的本質是以不斷的運動作為其形式，我們經常追求的「安靜」，根本是不可能的。所以，我們的生存，「像走下陡坡的人一樣，一停止下來就非倒下不可，只有繼續前進，以維持不墜。它又像放在指頭上取得均衡的木棒一般，也如同運行不絕的遊星。遊星如停止運行，便立刻墜落在太空之中——所以生存的形式是「不安」。

這個世界，不可能有任何種類的安定，或任何的持續狀態，一切都在不停地旋轉和變化，持續地、急迫地飛舞著，我們就是在這世界的網上，不停地行走，不停地運動，藉以支持。這樣的世界，所謂「幸福」，連想像中也不可得。柏拉圖曾說：「唯其不斷的變化，絕不可能常駐」，就是說明幸福不是得以駐留的。首先，我們要有個觀念，任誰也不幸福，人生只是追求通常想像上的幸福，而且，能達到目的的絕少，縱能達到，也將立刻感到「目的錯誤」的失望。所以，任何人到最後都是船破檣折地走進港灣中。這一段轉變無常的生涯，到底是幸福或是不幸？這一類的問題似已毋庸討論，既已泊進最後的港口，你我的結局完全相同。

尤其，更可驚異的是，不論人類世界或動物界，如此偉大又多彩多姿的不息的運動，竟只是由飢餓和性欲兩種單純的衝動所引起、所維持——應該還要加上「煩悶」的感覺——同時，這些東西竟能操縱器械極其複雜且變化多端的所謂人生，供給予主要動力，不是也很不可思議嗎？

（節選自〔德〕叔本華著，鐘鳴等譯《生存空虛論》，《叔本華文集》，中國言實出版社 1996 年版）

編選說明 ●●●

亞瑟·叔本華（Arthur Schopenhauer，1788—1860）德國哲學

家、著名的悲觀主義者。意志主義的主要代表之一。他繼承了康德對於現象和物自體之間的區分。不同於他同代的費希特、謝林、黑格爾等取消物自體的做法，他堅持物自體，並認為它可以通過直觀而被認識，將其確定為意志。意志獨立於時間、空間，所有理性、知識都從屬於它。人們只有在審美的沉思時逃離其中。在人生觀上，持悲觀主義的觀點，主張禁欲忘我。

叔本華深受東方佛教思想的影響，本文可以看成是佛教理論的西方式解釋。在他看來，這個世界上一切都是瞬息變化的，令人難以忍受的，一切都被捲入一個急速變化的漩渦之中，唯有瞬間才是現存的。這種不安定使人無任何幸福可言，而人又不得不窮其一生去追求這種虛幻的目標。叔本華的人生哲學所強調的，是從對有的否定達到對無的肯定——否定的是意志及其痛苦，肯定的是心如死灰和虛無寂滅。

尼采

從痛苦中分娩思想

你們可以猜到，在告別久臥病榻的那段歲月時，我不願忘恩負義，那時的收穫直到今天仍是我用之不盡的。正如我非常清楚，當我的健康狀況變化無常時，我畢竟比所有那些精神上的矮胖子高明在哪裏。一個哲學家，如果他經歷過並且不斷重新經歷著種種健康狀況，那麼他同時也就經歷了種種哲學：他每次所能夠做的，無非是把他的狀況轉換成最精神的形式和遠景，——哲學正是這種變容的藝術。

我們哲學家不能隨心所欲地把靈魂和肉體分開，如一般人之所為，更不能隨心所欲地把靈魂和思想分開。我們不是思維著的青蛙，不是有著冰冷內臟的照相機和打字機，——我們必須不斷地從我們的痛苦中分娩我們的思想，慈母般地向它們貢獻我們身上擁有的一切，我們的血液、心臟、火焰、快樂、熱情、痛苦、良心、命運和災難。對於我們來說，生命就意味著不斷地把我們所是的一切，以及我們所遇到的一切，都變為光和烈火，我們完全不能是別的樣子。

至於說到疾病，我們不妨試問一下，它對於我們究竟是否可以或缺？唯有大痛苦才是心靈最後的解放者，成為大疑惑的導師，把每個災禍都變成一個 X，一個貨真價實的 X，即字母表上的倒數第三個字母……唯有大痛苦，那曠日持久的痛苦，彷彿把我們架在濕柴堆上熏烤，才迫使我們躍入我們最後的深淵，與一切信任、一切善心、面紗、柔情、中庸相決裂，而從前我們也許是在其中安置了我們的人性的。我懷疑這樣一種痛苦能否使人「變好」；不過我知道，它能使我們變深刻。我們也許學會了用我們的驕傲、我們的嘲諷、我們的意志力對付它，像某個印度人那樣行事，此人也是備受折磨，於是借惡嘴毒舌在折磨他的人身上出了氣；我們也許為逃避痛苦而退入東方的虛無之境（所謂涅槃），退入斷絕言、視、聽的禪定狀態，經過這樣漫長而危險的自制練習，人便脫胎成了另一個人，有了更多的疑問，尤其是有了一種意志，即與過去之所問相比，今後要更加經常、深刻、嚴格、堅定、惡毒、平靜地發問。

對生命的信任已經喪失：生命本身變成了問題。——但不要以為一個人因此而必定變成一個憂鬱者！甚至對生命的愛也仍然是可能的，——只不過是用另一種方式愛。這就像愛一個使我們生疑的女人……然而，在這些超凡脫俗的人身上，一切可疑之物的魅力、對未知之物的興趣實在太大，因此，這種興趣必然如同一片絢麗的紅霞，不斷地重新落向一切可疑之物的困境，一切不確定性的危險，乃至戀人的嫉妒。我們發現了一種新的幸福……

（〔德〕尼采著，周國平譯《從痛苦中分娩思想》，《瘋狂的意義：尼采超人哲學集》，天津人民出版社 2007 年版）

編選說明 ●●●

弗里德里希．威廉．尼采（Friedrich Wilhelm Nietzsche，1844—

1900），德國著名哲學家。西方現代哲學的開創者，同時也是卓越的詩人和散文家。他最早開始批判西方現代社會，但其學説在所處時代沒能引起人們重視，直至 20 世紀才激起廣泛迴響。西方後來的生命哲學、存在主義、佛洛德主義及後現代主義，都以各自不同的形式回應尼采的哲學思想。

尼采一生飽受病痛的折磨，然而正是這樣的人生歷練，使他創立了不同以往的形態迥異的奇特哲學。他的哲學無須推理論證，沒有體系框架，根本不是什麼理論體系，哲學思索的成果全部是他對人生痛苦與歡樂的直接感悟。文中，尼采強調「必須不斷地從我們的痛苦中分娩我們的思想」，「唯有大痛苦才是心靈最後的解放者」。尼采從叔本華那裏受到啟示，也認為世界的本體是生命意志。

愛因斯坦

「人是為別人而生存的」

我們這些總有一死的人的命運是多麼奇特呀！我們每個人在這個世界上都只作一個短暫的逗留，目的何在，卻無所知，儘管有時自以為對此若有所感。但是，不必深思，只要從日常生活就可以明白：人是為別人而生存的——首先是為那樣一些人，他們的喜悅和健康關係著我們自己的全部幸福；然後是為許多我們所不認識的人，他們的命運通過同情的紐帶同我們密切結合在一起。我每天上百次地提醒自己：我的精神生活和物質生活都依靠別人（包括活著的人和死去的人）的勞動，我必須盡力以同樣的分量來報償我所領受了的和至今還在領受的東西。我強烈地嚮往著簡樸的生活，我認為階級的區分是不合理的，它最後所憑藉的是以暴力為根據。我也相信，簡單淳樸的生活，無論在身體上還是在精神上，對每個人都是有益的。

我完全不相信人類會有那種在哲學意義上的自由。每一個人的行為，不僅受著外界的強迫，而且還要適應內心的必然。叔本華（Schopenhauer）說：「人能夠做他想做的，但不能要他所想要的。」這句話從我青年時代起，就對我是一個非常真實的啟示；在自己和別人生活面臨困難的時候，它總是使我得到安慰，並且永遠是寬容的源泉。這種體會可以寬大為懷地減輕那種容易使人氣餒的責任感，也可以防止我們過於嚴肅地對待自己和別人；它還導致一種特別給幽默以應有地位的人生觀。

要追究一個人自己或一切生物生存的意義或目的，從客觀的觀點看來，我總覺得是愚蠢可笑的。可是每個人都有一定的理想，這種理想決定著他的努力和判斷的方向。就在這個意義上，我從來不把安逸和快樂看做是生活目的本身——這種倫理基礎，我叫他豬欄的理想。照亮我的道路，並且不斷地給我新的勇氣去愉快地正視生活的理想，是善、美和真。要是沒有志同道合者之間的親切感情，要不是全神貫注於客觀世界——那個在科學與藝術工作領域永遠達不到的對象，那麼在我看來，生活就會是空虛的。人們所努力追求的庸俗的目標——財產、虛榮、奢侈的生活——我總覺得都是可鄙的。

我對社會正義和社會責任的強烈感覺，同我顯然的對別人和社會直接接觸的冷漠，兩者總是形成古怪的對照。我實在是一個「孤獨的旅客」，我未曾全心全意地屬於我的國家、我的家庭、我的朋友，甚至我最接近的親人；在所有這些關係面前，我總是感覺到有一定距離並且需要保持孤獨——而這種感受正與年俱增。人們會清楚地發覺，同別人的相互瞭解和協調一致是有限度的，但這不足惋惜。這樣的人無疑有點失去他的天真無邪和無憂無慮的心境；但另一方面，他卻能夠在很大程度上不為別人的意見、習慣和判斷所左右，並且能夠不受誘惑要去把他的內心平衡建立在這樣一些不可靠的基礎之上。

……

我們所能有的最美好的經驗是神秘的經驗。它是堅守在真正藝術和真正科學發源地上的基本感情。誰要是體驗不到它，誰要是不再有好奇心也不再有驚訝的感覺，他就無異於行尸走肉，他的眼睛是迷糊不清的。就是這種神秘的經驗——雖然摻雜著恐怖——產生了宗教。我們認識到某種為我們所不能洞察的東西存在，感覺到那種只能以其最原始的形式為我們所感受到的最深奧的理性和最燦爛的美——正是這種認識和這種情感構成了真正的宗教感情；在這個意義上，而且也只是在這個意義上，我才是一個具有深摯宗教感情的人。我無法想像一個會對自己的創造物加以賞罰的上帝，也無法想像它會有像在我們自己身上所體驗到的那樣一種意志。我不能也不願去想像一個在肉體死亡以後還會繼續活著；讓那些脆弱的靈魂，由於恐懼或者由於可笑的唯我論，滿足於覺察現存世界的神奇的結構，窺見它的一鱗半爪，並且以誠摯的努力去領悟在自然界中顯示出來的那個理性的一部分，即使只是其極小的一部分，我也就心滿意足了。

（節選自〔美〕愛因斯坦著，許良英等譯《我的世界觀》，《愛因斯坦文集》第 3 卷，商務印書館 1979 年版）

編選説明 ●●●

阿爾伯特．愛因斯坦（Albert Einstein，1879—1955），德裔美國物理學家、思想家及哲學家，猶太人，現代物理學的開創者和奠基人。1905 年提出狹義相對論。1915 年提出廣義相對論。1921 年因成功解釋光電效應而榮膺諾貝爾物理學獎。

「人是為別人而生存的」，這是愛因斯坦在這篇發表於 1930 年的著名文章中對世人的真誠告白，也是他自己世界觀、人生觀、價值觀的基礎與核心，同時這也是他為人類社會傾力奉獻一生的真實寫照。文中，這位科學巨人不僅清晰地闡明了自己的生活態度、政治立場，而且對宇宙的奧秘、宗教的真諦也作了深入的哲學思考。他推崇高尚的理想，鄙視世俗的安逸與享樂；他反對戰爭，呼喚和平；對於人類勇於探索自然奧秘的精神，他給予了熱情的禮贊。作為一個富有哲學探索精神和高度社會責任感的傑出科學家和思想者，愛因斯坦不為別人的意見、習慣和判斷所左右，不被財產、虛榮、奢侈的生活所迷惑，始終堅持自己的世界觀、價值觀、人生觀，以其卓越的創造、深邃的洞見為後世留下了寶貴的精神財富。

薩特

人的存在先於人的本質

存在先於本質到底是什麼意思呢？我的意思是，人是首先存在著，有過各種遭遇，在世界上活動，然後才確定自己。在存在主義者看來，如果人是不能被決定的，那是因為一開始，人什麼都不是；只是到了後來他才成了某種東西，他按照自己的意願把自己創造成的東西。因此，並沒有人的本性這回事，因為並沒有一個設定人類本性的上帝。人不僅僅是他自己構想的人，還是他投入存在之後，自己所願意成為的人。

人除了是自我創造之外，什麼也不是，這就是存在主義的第一原理。這也是人們用來指責我們的所謂主觀性。但我們提出這一原理，不過是要指出，人要比石頭或桌子高貴得多。因為當我們說「人首先是存在著」時，我們的意思是，人是一種把自己推向未來並能意識到這一特點的存在。

人一開始就是一種自覺的自我設計，而不是一塊青苔、一朵蘭花，或者一棵花菜。在這個自我設計之前，沒有任何東西存在。即使在充滿智慧的老天那裏，也什麼都沒有。人只是在他計劃自己成為什麼的時候才獲得存在，而這不是指他想怎麼樣。因為「想要」或「意願」這個詞通常是指一種自覺的決定，而這總是在我們把自己創造成某人之後才顯示出來的。我想加入一個政黨，想寫一本書，打算結婚，但這都是一種原初的自發的選擇的表現，也就是所謂「意願」。

這樣，如果說存在確實是先於本質，人就要對他的本性負責。存在主義首先要做的，就是要每一個人都知道這一點，並對自己的存在負全部責任。

主觀主義具有兩種意義，而反對者只涉及其中之一。主觀主義一方面是指個人自己選擇、自我創造，另一方面，是指人不可能超越自己的主觀性。這後一層意思才是存在主義的深層含義。如果存在先於本質，如果我們存在的同時也創造了我們的形象，那麼這形象就對所有的人、對我們整個時代都有作用。這樣，我們的責任要比他們想像的大得多，因為它關涉到人類全體。

例如，假設我是一個工人，我可以選擇成為一個基督教工會會員，而不參加共產黨的工會；出於這種選擇，我是在表示，人生在世最好是清靜無為，人的天國不在世上。這樣，我就不是為我一人選擇了這種觀點，而且為所有的人選擇了清靜無為。

再舉一個更屬私人的例子：我決定結婚生子；即使這一決定只是根據我的境況、情慾和願望作出的，但這實現了一夫一妻制，就涉及整個人類。

因此，我在對自己負責時，也對其它所有人負責。我在創造一種我自己想要的形象。我在創造自己時，也創造了他人。

（節選自〔法〕薩特《存在主義是一種人道主義》，《薩特自述》，天津人民出版社 2008 年版）

編選說明 •••

讓-保羅·薩特（Jean-Paul Sartre，1905—1980），法國 20 世紀最重要的哲學家之一，法國無神論存在主義的主要代表人物。他也是優秀的文學家、戲劇家、評論家和社會活動家。薩特是西方社會主義最積極的鼓吹者之一，一生中拒絕接受任何獎項，包括 1964 年的諾貝爾文學獎。在戰後的歷次鬥爭中都站在正義的一邊，對各種被剝奪權利者表示同情，反對冷戰。1955 年 9 月，曾訪問過中國。哲學代表作為《存在與虛無》。

本文選自薩特的《存在主義是一種人道主義》。文中，薩特強調：存在主義的第一原理就是——人除了是自我創造之外，什麼也不是。人在這個世界上能夠自由地選擇自己，造成自己的本質。這是人與物相區別的根本標誌。正是由於存在先於本質，因此人就要對他的本性負責。「存在先於本質」堪稱薩特存在主義理念的核心。薩特宣稱「存在主義是一種人道主義」，就是因為存在主義尊重人的自由選擇。

梁啟超

最苦與最樂

人生什麼事最苦呢？貧嗎？不是。失意嗎？不是。老嗎？死嗎？都不是。我說人生最苦的事，莫苦於身上背著一種未來的責任。人若能知足，雖貧不苦；若能安分（不多作分外希望），雖失意不苦；老、病、死，乃人生難免的事，達觀的人看得很平常，也不算什麼苦。獨是凡人生在世間一天，便有一天應該做的事，該做的事沒有做完，便像是有幾千斤重擔子壓在肩頭，再苦是沒有的了。為什麼呢？因為受那良心責備不過，要逃躲也沒處逃躲呀。

答應人辦一件事沒有辦，欠了人的錢沒有還，受了人的恩惠沒有報答，得罪了人沒有賠禮，這就連這個人的面也幾乎不敢見他；縱然不見他的面，睡裏夢裏都像有他的影子來纏著我。為什麼呢？因為覺得對不住他呀，因為自己對於他的責任還沒有解除呀。不獨是對於一個人如此，就是對於家庭，對於社會，對於國家，乃至對於自己，都是如此，凡屬我受過他好處的人，我對於他便有了責任。凡屬我應該做的事，而且力量能夠做得到的，我對於這件事便有了責任。凡屬我自己打主意要做一件事，便是現在的自己和將來的自己立了一種契約，便是自己對於自己加一層責任。有了這責任，那良心便時時刻刻監督在後頭，一日應盡的責任沒有盡，到夜裏頭便是過的苦痛日子。一生應盡的責任沒有盡，便死也是帶著苦痛往墳墓裏去。這種苦痛卻比不得普通的貧、病、老、死，可以達觀排解得來。所以我說，人生沒有苦痛便罷；若有苦痛，當然沒有比這個更加重的了。

翻過來看，什麼事最快樂呢？自然責任完了，算是人生第一件樂事。古語說得好，「如釋重負」；俗語亦說的是，「心上一塊石頭落了地」。人到這個時候，那種輕鬆、愉快，真是不可以言語形容。責任越重大，負責的日子越久長，到責任完了時，海闊天空，心安理得，那快樂還要加幾倍哩。大抵天下事，從苦中得來的樂，才算是真樂，人生須知道負責任的苦處，才能知道有盡責任的樂處。這種苦樂迴圈，便是這有活力的人間一種趣味。可是不盡責任，受良心責備，這些苦都是自己找來的。一翻過來，處處盡責任，便處處快樂；時時盡責任，便時時快樂。快樂之權，操之在己。孔子所以說「無入而不自得」，正是這種作用。

然則為什麼孟子又說「君子有終身之憂」呢？因為越是聖賢、豪傑，他負的責任便越是重大；而且他常要把種種責任來攬在身上，肩頭的擔子，從沒有放下的時節。曾子還說哩：「任重而道遠……死而後已，不亦遠乎！」那仁人、志士的憂民、憂國，那諸聖、諸佛的悲天、憫人，雖說他是一輩子感受苦痛，也都可以。但是他日日在那裏盡責任，便日日在那裏得苦中真樂。所以他到底還是樂，不是苦呀。

有人說：「既然這苦是從負責任而生的，我若是將責任卸卻，豈不是就永遠沒有苦了嗎？」這卻不然。責任是要解除了才沒有，並不是卸了就沒有。人生若能永遠像兩三歲小孩，本來沒有責任，那就本來沒有苦。到了長成，那責任自然壓在你頭上，如何能躲？不過有大小的分別罷了。盡得大的責任，就得大快樂；盡得小的責任，就得小快樂。你若是要躲，倒是自投苦海，永遠不能解除了。

（梁啟超《最苦與最樂》，《〈飲冰室合集〉集外文》中冊，北京大學出版社 2005 年版）

編選説明 •••

梁啟超（1873—1929），中國近代史上著名的政治活動家、啟蒙思想家、資產階級宣傳家、教育家、史學家和文學家。戊戌變法（百日維新）領袖之一。梁啟超學術研究涉獵廣泛，一生勤奮，著述宏富，在哲學、文學、史學、經學、法學、倫理學、宗教學等領域，均有建樹，以史學研究成績最顯著。著有《飲冰室合集》。

痛苦和快樂，這是人類永恆的話題。在這篇發表於 1918 年 12 月 29 日《大公報》上的文章中，梁啟超用直白淺顯的語言講出了一個人生的深刻道理：人生在世，每個人都應當盡到自己的責任。面對人生什麼最苦、什麼最樂這樣的追問，梁啟超沒有將平常百姓所想到的貧富、生死、饑飽等作為價值衡量標準，而是將是否履行了個人責任看成是人生苦樂的根據，這就盡顯哲人思考的獨到與深邃。在他看來，受人恩，於人有責；既立志，則於己有責。越是有理想、有道德的人，社會責任也就越是重大。人生只有知道了負責任的苦處，才知道盡責任的樂處。作為一個社會人，其身上的責任——對親人、對朋友、對別人、對社會、對自己是永遠無法推卸的。

陳獨秀

人生真義

人生在世，究竟為的什麼？究竟應該怎樣？這兩句話實在難得回答得很。我們若是不能回答這兩句話，糊糊塗塗過了一生，豈不是太無意識嗎？自古以來，說明這個道理的人也算不少，大概約有數種：第一是宗教家。像那佛教家說，世界本來是個幻象，人生本來無生；「真如」本性為「無明」所迷，才現出一切生滅幻象。一旦「無明」滅，一切生滅幻象都沒有了，還有什麼世界，還有什麼人生呢？又像那耶穌教說，人類本是上帝用土造成的，死後仍舊變為泥土。那生在世上信從上帝的，靈魂昇天；不信上帝的，便魂歸地獄，永無超生的希望。第二是哲學家。像那孔、孟一流人物，專以正心、修身、齊家、治國、平天下，做一大道德家、大政治家，為人生最大的目的。又像那老、莊的意見，以為萬事萬物都應當順應自然，人生知足，便可常樂，萬萬不可強求。又像那墨翟主張犧牲自己、利益他人為人生義務。又像那楊朱主張尊重自己的意志，不必對他人講什麼道德。又像那德國人尼采也是主張尊重個人的意志，發揮個人的天才，成功一個大藝術家、大事業家，叫做尋常人以上的「超人」，才算是人生目的。什麼仁義道德，都是騙人的說法。第三是科學家。科學家說人類也是自然界的一種物質，沒有什麼靈魂。生存的時候，一切苦樂善惡，都為物質界自然法則所支配；死後物質分散，另變一種作用，沒有聯續的記憶和知覺。

這些人所說的道理，各個不同。人生在世，究竟為的什麼，應該怎樣呢？我想佛教家所說的話，未免太迂闊。個人的生滅雖然是幻象，世界人生之全體，能說不是真實存在嗎？人生「真如」性中，何以忽然有「無明」呢？既然有了「無明」，眾生的「無明」，何以忽然都能滅盡呢？「無明」既然不滅，一切生滅現象何以能免呢？一切生滅現象既不能免，吾人人生在世，便要想想究竟為的什麼，應該怎樣才是。耶教所說，更是憑空捏造，不能證實的了。上帝能造人類，上帝是何物所造呢？上帝有無，既不能證實，那耶教的人生觀，便完全不足相信了。孔孟所說的正心、修身、齊家、治國、平天下，只算是人生一種行為和事業，不能包括人生全體的真義。吾人若是專門犧牲自己、利益他人，乃是為他人而生，不是為自己而生，決非個人生存的根本理由。墨子的思想，也未免太偏了。楊朱和尼采的主張，雖然說破了人生的真相，但照此極端做去，這組織複雜的文明社會，又如何行得過去呢？人生一世，安命知足，事事聽其自然，不去強求，自然是快活的很。但是這種快活的幸福，高等動物反不如下等動物，文明社會反不如野蠻社會。我們中國人受了老、莊的教訓，所以退化到這等地步。科學家說人死沒有靈魂，生時一切苦樂善惡，都為物質界自然法則所支配，這幾句話倒難以駁他。但是我們個人雖是必死的，全民族是不容易死的，全人類更是不容易死的了。全民族、全人類所創的文明事業，留在世界上、寫在歷史上傳到後代，這不是我們死後聯續的記憶和知覺嗎？照這樣看起來，我們現在時代的人所見人生真義，可以明白了。今略舉如下：

（一）人生在世，個人是生滅無常的，社會是真實存在的。

（二）社會的文明幸福，是個人造成的，也是個人應該享受的。

（三）社會是個人集成的，除去個人，便沒有社會；所以個人的意志和快樂，是應該尊重的。

（四）社會是個人的總壽命，社會解散，個人死後便沒有聯續的記憶和知覺；所以社會的組織和秩序，是應該尊重的。

（五）執行意志，滿足欲望（自食色以至道德的名譽，都是欲望），是個人生存的根本理由，始終不變的（此處可以說「天不變，道亦不變」）。

（六）一切宗教、法律、道德、政治，不過是維持社會不得已的方法，非個人所以樂生的原意，可以隨著時勢變更的。

（七）人生幸福，是人生自身出力造成的，非是上帝所賜，也不是聽其自然所成就的。若是上帝所賜，何以厚於今人而薄於古人？若是聽其自然所能成就，何以世界各民族的幸福不能夠一樣呢？

（八）個人之在社會，好像細胞之在人身；生滅無常，新陳代謝，本是理所當然，絲毫不足恐怖。

（九）要享幸福，莫怕痛苦。現在個人的痛苦，有時可以造成未來個人的幸福。譬如有主義的戰爭所流的血，往往洗去人類或民族的污點。極大的瘟疫，往往促成科學的發達。

總而言之，人生在世，究竟為的什麼？究竟應該怎樣？我敢說道：個人生存的時候，當努力造成幸福，享受幸福；並且留在社會上，後來的個人也能夠享受，遞相授受，以至無窮。

（陳獨秀《人生真義》，《陳獨秀文選》，四川文藝出版社 2009 年版）

編選說明

陳獨秀（1879—1942），字仲甫，安徽懷寧人。思想家、政治家、學者。新文化運動的宣導者之一，中國共產黨早期的主要領導人。1915 年 9 月創辦《青年雜誌》（後改名《新青年》），以進化論觀點和個性解放思想為主要武器，大力提倡新道德、反對舊道德，提倡新文學、反對舊文學，舉起民主與科學的旗幟。1919 年五四運動後期，開始接受和宣傳馬克思主義。發起成立中國共產黨，成為主要創始人之一。著有《獨秀文存》四卷。

本文首發在 1918 年 2 月 15 日《新青年》第四卷第二號上。文章討論的主題是：人生在世究竟是為了什麼。陳獨秀首先指出了歷史上曾經有過的種種人生論，如佛教、基督教、孔孟、墨子、楊朱、老莊等都不可避免地有著歷史的局限性。在批判的基礎上，他提出了自己關於人生的理論：即個人生存的時候，應當努力造成幸福，享受幸福；並且留在社會上，使後來的人也能夠享受。由此相互傳遞接力，以至無窮。

梁漱溟

人生三種態度：追逐、厭離、鄭重

「人生態度」是就人們日常生活的傾向而言，向深裏講，即入了哲學範圍；向粗淺裏說，也不難明白。依中國分法，將人生態度分為「出世」與「入世」兩種，但我嫌其籠統，不如三分法較為詳盡適中。我們仔細分析：人生態度之深淺、曲折、偏正……各式各樣都有，而各時代、各民族、各社會，亦皆有其各種不同之精神，故欲求不籠統，而究難免於籠統。我們現在所用之三分法，亦不過是比較適中的辦法而已。

按三分法，第一種人生態度，可用「逐求」二字以表示之。此意即謂人於現實生活中逐求不已：如，飲食、宴安、名譽、聲、色、貨、利等，一面受趣味引誘，一面受問題刺激，顛倒迷離於苦樂中與其它生物亦無所異；此第一種人生態度（逐求），能夠徹底做到家，發揮至最高點者，即為近代之西洋人。他們純為向外用力，兩眼直向前看，逐求於物質享受，其征服自然之威力實甚偉大，最值得令人拍掌稱讚。他們並且能將此第一種人生態度理智化，使之成為一套理論——哲學。其可為代表者，是美國杜威之實驗主義，他很能細密地尋求出學理的基礎來。

第二種人生態度為「厭離」的人生態度。第一種人生態度為人對於物的問題。第三種人生態度為人對於人的問題，此則為人對於自己本身的問題。人與其它動物不同，其它動物全走本能道路，而人則走理智道路，其理智作用特別發達。其最特殊之點，即在回過頭來反看自己，此為一切生物之所不及於人者。當人回過頭來冷靜地觀察其生活時，即感覺人生太苦，一方面自己為飲食男女及一切欲望所糾纏，不能不有許多痛苦，而在另一方面，社會上又充滿了無限的偏私、嫉妒、仇怨、計較，以及生離死別種種現象，更足使人覺得人生太無意思。如是，乃產生一種厭離人世的人生態度。此態度為人人所同有。世俗之愚夫愚婦皆有此想，因愚夫愚婦亦能回頭想，回頭想時，便欲厭離。但此種人生態度雖為人人所同具，而所分別者即在程度上深淺之差，只看徹底不徹底、到家不到家而已。此種厭離的人生態度，為許多宗教之所由生。最能發揮到家者，厥為印度人；印度人最奇怪，其整個生活，完全為宗教生活。他們最徹底，最完全；其中最通透者為佛家。

第三種人生態度，可以用「鄭重」二字以表示之。鄭重態度，又可分為兩層來說：其一，為不反觀自己時——向外用力；其二，為回頭看自家時——向內用力。在未曾回頭看而自然有的鄭重態度，即兒童之天真爛漫的生活。兒童對其生活，有天然之鄭重，與天然之不忽略，故謂之天真；真者真切，天者天然，即順從其生命之自然流行也。於此處我特別提出兒童來說者，因我在此所用之「鄭重」一詞似太嚴重，其實並不嚴重。我之所謂「鄭重」，實即自覺地聽其生命之自然流行，求其自然合理耳。「鄭重」即是將全副精神照顧當下，如兒童之能將其生活放在當下，無前無後，一心一意，絕不知道回頭反看，一味聽從於生命之自然的發揮，幾與向前逐求差不多少，但確有分別。此係言淺一層。

更深而言之，從反回頭來看生活而鄭重生活，這才是真正的發揮鄭重。這條路發揮得最到家的，即為中國之儒家。此種人生態度亦甚簡單，主要意義即是教人自覺地盡力量去生活。此話雖平常，但一切儒家之道理盡包含在內；如後來儒家之「寡欲」、「節欲」、「窒欲」等說，都是要人清楚地自覺地盡力於當下的生活。儒家最反對仰賴於外力之催逼，與外邊趣味之引誘往前度生活。引誘向前生活，為被動的、逐求的，而非為自覺自主的；儒家之所以排斥欲望，即以欲望為逐求的、非自覺的，不是盡力量去生活。此話可以包含一切道理。如「正心誠意」、「慎獨」、「仁義」、「忠恕」等，都是以自己自覺的力量去生活。再如普通所謂「仁至義盡」、「心情俱到」等，亦皆此意。

此三種人生態度，每種態度皆有淺深。淺的厭離不能與深的逐求相比。逐求是世俗的路，鄭重是道德的路，而厭離則為宗教的路。將此三者排列而為比較，當以逐求態度為較淺；以鄭重與厭離兩種態度相較，則鄭重較難；從逐求態度進步轉變到鄭重態度自然也可能，但我覺得很不容易。普通都是由逐求態度折到厭離態度，從厭離態度再轉入鄭重態度，宋明之理學家大多如此，所謂出入儒釋，都是經過厭離生活，然後重又歸來盡力於當下之生活。即以我言，亦恰如此。在我十幾歲時，極接近於實利主義，後轉入於佛家，最後方歸轉於儒家。厭離之情殊為深刻，由是轉過來才能盡力於生活；否則便會落於逐求，落於假的盡力。故非心裏極乾淨，無纖毫貪求之念，不能盡力生活。而真的盡力生活，又每在經過厭離之後。

（梁漱溟《人生三種態度：逐求、厭離、鄭重》，《中國人：社會與人

生．梁漱溟文選》下卷，中國文聯出版公司 1996 年版）

編選說明

梁漱溟（1893—1988），廣西桂林人。中國現代思想家、哲學家、教育家、社會活動家、愛國民主人士，著名學者、國學大師，現代新儒家的早期代表人物之一，有「中國最後一位儒家」之稱。梁漱溟曾將自己一生的思想發展分為三個時期：西方功利派、佛教出世主義、儒學。1921 年出版《東西文化及其哲學》一書，成為其一生最具代表性的著作。在中國發起過鄉村建設運動，並取得可以借鑒的經驗。《人心與人生》為其晚年重要著作。

本文總結了三種不同的人生態度：一是逐求，即向外用力，於現實生活中逐求不已，將此人生態度發揮至最高點者為近代之西方人；二是厭離，即感覺人生太苦，人生太無意思，將此人生態度發揮至最通透者為佛家；三是鄭重，即自覺地盡力於當下的生活，將這種人生態度發揮到極致者為中國的儒家。在梁漱溟看來，逐求是世俗的路，鄭重是道德的路，而厭離則是宗教的路。他以自己的親身經歷強調了應當以自己自覺的力量去生活、去進行人生選擇。

馮友蘭

人生的意義及人生中的境界

假如我們能夠瞭解人生，人生便有意義。倘使我們不能瞭解人生，人生便無意義。各個人對於人生的瞭解多不相同，因此，人生的境界，便有分別。境界的不同，是由於認識的互異。這，有如旅行遊山一樣，地質學家與詩人雖同往遊山，可是地質學家的觀感和詩人的觀感，卻大不相同。

人生的境界，大體上可以分為四類：（一）自然境界——最低級的，瞭解的程度最少，這一類人大多是「順才」或「順習」。（二）功利境界——較高級的，需要進一層的瞭解。（三）道德境界——更高級的，需要更高深的理解。（四）天地境界——最高的境界，需要最徹底的瞭解。在自然境界中的人，不論幹什麼事情，不是依照社會習慣，便是依照其本性去做，他們從來未曾瞭解做某種事情的意義。往好處說，這就是「天真爛漫」；往差處說便是「糊裏糊塗」。他們既不懂得為什麼要這樣做，又不明白做某種事情有什麼意義，所以他們可說沒有自覺。有時他們縱然是整天笑嘻嘻，可是卻不自覺快樂。這，有如天真的嬰孩，他雖然笑顏逐開，可是卻一點不覺得自已快樂，兩種情況，完全相同。這一類人，對於「生」「死」皆不瞭解，而且亦沒有「我」的觀念。功利境界中的人，對於人生的瞭解，比較進了一步，他們有「我」的觀念，不論做什麼事，都是為著功利，為著自己的利益打算。這一批人，大抵貪生怕死。有時他們亦會為社會服務，為國家做點事，可是他們做事的動機，是想換取更高的代價，表面上，他們雖在服務，但其最後的目的還是為著小我。在道德境界中的人，不論做什麼事，皆以服務社會為目的。這一類人既不貪生，又不怕死；他們曉得除「我」以外，上面還有一個社會，一個全體。他們瞭解個人是社會的一部分，個人與社會是部分與全體的關係。就普通常識來說，部分的存在似乎先於全體，可是從哲學來說，應該現有全體，然後始有個體。例如房子中的支「柱」，是有了房子以後，始有所謂「柱」，假使沒有房子，則柱不成為柱，它只是一塊大木料而已。同樣，人類在有了人倫關係以後，始有所謂「人」，如沒有人倫關係，則人便不成為人，只是一團血肉。不錯，在沒有社會組織以前，每個人確已先具有一團肉，可是我們之成為人，卻因為是有了社會組織的緣故。道德境界中的人，很清楚地瞭解這一點。天地境界中的人，一切皆以服務宇宙為目的。他們對生死的見解：既無所謂生，復無所謂死；他們認為在社會之上，尚有一個更高的全體——宇宙。科學家的所謂宇宙，係指天體，太陽系及天河等，哲學家的所謂宇宙，係指一切，所以宇宙之外，不會有其它的東西，我人絕對不可能離開宇宙而生存。天地境界的人能夠徹底瞭解這些道理，所以他們所做的事，便是為宇宙服務。

中國的所謂「聖賢」，應該有一個分別，「賢」是指道德境界的人，「聖」是指天地境界的人。至於一般的芸芸眾生，不是屬於自然境界，便屬於功利境界。要達到自然境界或功利境界非常容易，要想進入道德境界或天地境界卻需要努力，只有努力，才能瞭解。究竟要怎樣做，才算是為宇宙服務呢？為宇宙服務所做的事，絕對不是什麼離奇特別的事，與為社會服務而做的事，並無二致。不過所做的事雖然一樣，瞭解的程度不同，其境界就不同了。我曾經看見過一個文字學的教授，在指責一個粗識文字的老百姓，說他寫了一個別字。那一個別字，本來可以當做古字的假借，所以當時我便代那寫字的人辯護，結果，那位文字學教授這樣的回答我：「這一個字如果是我寫的，就是假借，出自一個粗識文字的人的手筆，便是別字。」這一段話很值得尋味，這就是說，做同樣的事情，因為瞭解程度互異，可以有不同的境界。再舉一例，同樣是大學教授，因為瞭解不同，亦有幾種不同的境界：屬於自然境界的，他們留學回來以後，有人請他教課，他便莫名其妙的當起教授來，什麼叫做教育，他毫不理會；有些教授則屬於功利境界，他們所以跑去當教授，是為著提高聲望，以便將來做官，可以銓敘較高的職位；另外有些教授則屬於道德境界，因為他們具有「得天下英才而教育之」的懷抱；有些教授則係天地境界，他們執教的目的，是為欲「得宇宙天才而教育之」。在客觀上，這四種教授所做的事情是一樣的，可是因為瞭解的程度不同，其境界自有差別。

《中庸》有兩句話：「聖人可以贊天地之化育，可以與天地參矣。」所謂「贊天地之化育」並不是幫天地颳風或下雨，「化育」是什麼？能夠在天地間生長的都是化育，能夠瞭解這一點，則我們的生活行動，都可以說是「贊天地之化育」，如果不明白這一點，那麼我們的生活行為，只能說是「為天地所化育」。所謂聖人，他能夠瞭解天地的化育，所以始能頂天立地，與天地參。草木無知（不懂化育的原理），所以草木只能為天地所化育。

由此看來，做聖人可以說很容易，亦可以說很難。聖人固然可以幹出特別的事來，但並不是幹出特別的事，始能成為聖人。所謂「迷則為凡，悟則為聖」，就是指做聖人的容易，人人可為聖賢，其原因亦在於此。

總而言之，所謂人生的意義，全憑我們對於人生的瞭解。

（馮友蘭《人生的意義及人生中的境界》，《中國哲學的精神——馮友蘭文選》下冊，國際文化出版公司 1998 年版）

編選說明

本文作者馮友蘭在中國近現代哲學史上，建構了自己獨特的哲學體系——「新理學」。而他在汲取中國古代哲學關於境界論營養基礎上所構建起的人生境界說，強調了對人的生存狀態和價值觀念進行不斷超越，由此成為「新理學」中的重要組成部分。本文是馮友蘭在重慶復興關對青年軍所發表的演講詞（刊發在 1947 年 6 月 1 日出版的《新力》創刊號上）。文章的核心就在於，通過對人生的四種境界即「自然境界」、「功利境界」、「道德境界」、「天地境界」的辨析，最後得出「所謂人生的意義，全憑我們對於人生的瞭解」這樣的結論。馮友蘭對人生四境界的闡釋，不僅具有重要的理論價值，而且對於現實人生具有深刻的思想啟迪作用，其因悟解人生真諦所蘊含的現代意蘊，能為行進在現代化路上的人們思考自己的人生提供一面鏡子。

擴展閱讀●●●

1. 巴斯卡：《巴斯卡思想錄》（何兆武譯），陝西師範大學出版社 2003 年版。
2. 費希特：《論學者的使命》，商務印書館 1980 年版。
3. 叔本華：《愛與生的苦惱》，光明日報出版社 2006 年版。
4. 羅素：《羅素論幸福人生》，世界知識出版社 2007 年版。
5. 梁漱溟：《人生的三路向》，當代中國出版社 2010 年版。
6. 馮友蘭：《人生哲學》，廣西師範大學出版社 2005 年版。
7. 王恕煥：《毛澤東的人生哲學》，湖北人民出版社 2003 年版。
8. 季羨林：《季羨林隨想錄 1：不完滿才是人生》，中國城市出版社 2009 年版。
9. 宋希仁編：《人生哲學導論》，山西教育出版社 2004 年版。

六 ●●● 對真理的追求

馬克思

無產階級就是執刑者

那些所謂的 1848 年革命，只不過是些微不足道的事件，是歐洲社會乾硬外殼上的一些細小的裂口和縫隙。但是它們卻暴露出了外殼下面的一個無底深淵。在看來似乎堅硬的外表下面，現出了一片汪洋大海，只要它動盪起來，就能把由堅硬岩石構成的大陸撞得粉碎。那些革命吵吵嚷嚷、模模糊糊地宣佈了無產階級解放這個 19 世紀的秘密，本世紀革命的秘密。

的確，這個社會革命並不是 1848 年發明出來的新東西。蒸汽、電力和自動紡機甚至是比巴爾貝斯、拉斯拜爾和布朗基諸位公民更危險萬分的革命家。但是，儘管我們生活在其中的大氣把兩萬磅重的壓力加在每一個人身上，你們可感覺得到嗎？同樣，歐洲社會在 1848 年以前也沒有感覺到從四面八方包圍著它、壓抑著它的革命氣氛。

這裏有一件可以作為我們 19 世紀特徵的偉大事實，一件任何政黨都不敢否認的事實。一方面產生了以往人類歷史上任何一個時代都不能想像的工業和科學的力量；而另一方面卻顯露出衰頹的徵兆，這種衰頹遠遠超過羅馬帝國末期那一切載諸史冊的可怕情景。

在我們這個時代，每一種事物好像都包含有自己的反面。我們看到，機器具有減少人類勞動和使勞動更有成效的神奇力量，然而卻引起了飢餓和過度的疲勞。財富的新源泉，由於某種奇怪的、不可思議的魔力而變成貧困的源泉。技術的勝利，似乎是以道德的敗壞為代價換來的。隨著人類愈益控制自然，個人卻似乎愈益成為別人的奴隸或自身的卑劣行為的奴隸。甚至科學的純潔光輝彷彿也只能在愚昧無知的黑暗背景上閃耀。我們的一切發明和進步，似乎結果是使物質力量成為有智慧的生命，而人的生命則化為愚鈍的物質力量。現代工業和科學為一方與現代貧困和衰頹為另一方的這種對抗，我們時代的生產力與社會關係之間的這種對抗，是顯而易見的、不可避免的和毋庸爭辯的事實。有些黨派可能為此痛哭流涕；另一些黨派可能為了要擺脫現代衝突而希望拋開現代技術；還有一些黨派可能以為工業上如此巨大的進步要以政治上同樣巨大的倒退來補充。可是我們不會認錯那個經常在這一切矛盾中出現的狡獪的精靈。我們知道，要使社會的新生力量很好地發揮作用，就只能由新生的人來掌握它們，而這些新生的人就是工人。工人也同機器本身一樣，是現代的產物。在那些使資產階級、貴族和可憐的倒退預言家驚慌失措的現象當中，我們認出了我們的勇敢的朋友、好人兒羅賓，這個會迅速刨土的老田鼠、光榮的工兵——革命。英國工人是現代工業的頭一個產兒。他們在支持這種工業所引起的社會革命方面肯定是不會落在最後的，這種革命意味著他們的本階級在全世界的解放，這種革命同資本的統治和雇傭奴役制具有同樣的普遍性質。我知道英國工人階級從上一世紀中葉以來進行了多麼英勇的鬥爭，這些鬥爭只是因為資產階級歷史學家把它們掩蓋起來和隱瞞不說才不為世人所熟悉。為了報復統治階級的罪行，在中世紀的德國曾有過一種叫做「菲默法庭」的秘密法庭。如果某一所房子畫上了一個紅十字，大家就知道，這所房子的主人受到了「菲默法庭」的判決。現在，歐洲所有的房子都畫上了神秘的紅十字。歷史本身就是審判官，而無產階級就是執刑者。

（節選自馬克思《在〈人民報〉創刊紀念會上的演講》，《馬克思恩格斯選集》第 1 卷，人民出版社 1995 年版）

編選說明 •●●

這是馬克思 1856 年 4 月 14 日在英國倫敦舉行的《人民報》創刊紀念會上發表的演講，距今已經有一百五十多年的歷史。當時，近代歐洲歷史上規模最大、範圍最廣的資產階級民主革命——1848 年革命已經過去，新的革命高潮還未到來。馬克思和恩格斯科學地總結了這場革命的經驗，提出了「階級鬥爭必然要導致無產階級專政」的光輝思想。本篇演說重申了馬克思的關於無產階級革命的思想，論證了無產階級革命的必然性，闡述無產階級革命的原理，指出無產階級就是統治階級的執刑者，無產階級革命將創造一個全新的社會。這篇演講雖然歷經了歲月的滄桑，但它非凡的風采絲毫沒有銷蝕掉，其深邃的思想、雋永的語言、厚重的文化，仍然讓生活在今天的我們能夠領略到經典的無窮魅力。

毛澤東

人的正確思想是從哪裏來的

人的正確思想是從哪裏來的？是從天上掉下來的嗎？不是。是自己頭腦裏固有的嗎？不是。人的正確思想，只能從社會實踐中來，只能從社會的生產鬥爭、階級鬥爭和科學實驗這三項實踐中來。人們的社會存在，決定人們的思想。而代表先進階級的正確思想，一旦被群眾掌握，就會變成改造社會、改造世界的物質力量。人們在社會實踐中從事各項鬥爭，有了豐富的經驗，有成功的，有失敗的。無數客觀外界的現象通過人的眼、耳、鼻、舌、身這五個官能反映到自己的頭腦中來，開始是感性認識。這種感性認識的材料積纍多了，就會產生一個飛躍，變成了理性認識，這就是思想。這是一個認識過程。這是整個認識過程的第一個階段，即由客觀物質到主觀精神的階段，由存在到思想的階段。這時候的精神、思想（包括理論、政策、計劃、辦法）是否正確地反映了客觀外界的規律，還是沒有證明的，還不能確定是否正確，然後又有認識過程的第二個階段，即由精神到物質的階段，由思想到存在的階段，這就是把第一個階段得到的認識放到社會實踐中去，看這些理論、政策、計劃、辦法等等是否能得到預期的成功。一般地說來，成功了的就是正確的，失敗了的就是錯誤的，特別是人類對自然界的鬥爭是如此。在社會鬥爭中，代表先進階級的勢力，有時候有些失敗，並不是因為思想不正確，而是因為在鬥爭力量的對比上，先進勢力這一方，暫時還不如反動勢力那一方，所以暫時失敗了，但是以後總有一天會要成功的。人們的認識經過實踐的考驗，又會產生一個飛躍。這次飛躍，比起前一次飛躍來，意義更加偉大。因為只有這一次飛躍，才能證明認識的第一次飛躍，即從客觀外界的反映過程中得到的思想、理論、政策、計劃、辦法等等，究竟是正確的還是錯誤的，此外再無別的檢驗真理的辦法①。而無產階級認識世界的目的，只是為了改造世界，此外再無別的目的。一個正確的認識，往往需要經過由物質到精神，由精神到物質，即由實踐到認識，由認識到實踐這樣多次的反覆，才能夠完成。這就是馬克思主義的認識論，就是辯證唯物論的認識論。現在我們的同志中，有很多人還不懂得這個認識論的道理。問他的思想、意見、政策、方法、計劃、結論、滔滔不絕的演說、大塊的文章，是從哪裏得來的，他覺得是個怪問題，回答不出來。對於物質可以變成精神，精神可以變成物質這樣日常生活中常見的飛躍現象，也覺得不可理解。因此，對我們的同志，應當進行辯證唯物論的認識論的教育，以便端正思想，善於調查研究，總結經驗，克服困難，少犯錯誤，做好工作，努力奮鬥，建設一個社會主義的偉大強國，並且幫助世界被壓迫被剝削的廣大人民，完成我們應當擔負的國際主義的偉大義務。

（毛澤東《人的正確思想是從哪裏來的》，《毛澤東文集》第 8 卷，人民出版社 1999 年版）

編選說明 •••

本文是毛澤東 1963 年 5 月修改《中共中央關於目前農村工作中若干問題的決定（草案）》時增寫的一段重要論述。作者十分重視從認識論上總結 1958 年以來經濟建設中的經驗教訓。1961 年，他重提調查研究問題，強調要把這一年搞成實事求是年。1962 年，在七千人大會上毛澤東講到自由與必然關係的問題時，強調對建設社會主義規律的認識要有一個從必然到自由的過程。這篇短文則是對上述認識論思想所作的全面概括。文章闡述了馬克思主義的認識論原理，在肯定了人的正確思想，只能從社會的生產鬥爭、階級鬥爭和科學實驗這三項實踐中來的基礎上，進一步發揮了他在馬克思主義認識論方面的重要發展——關於認識過程的辯證法思想。它是毛澤東對建設社會主義正反兩個方面經驗的哲學概括，也是對馬克思主義認識論的基本思想所做的精闢闡述，具有鮮明的時代特點和歷史意義，同時也是《實踐論》在新的歷史條件下的繼續和發展。

毛澤東

自由是必然的認識和世界的改造

認識世界是為了改造世界，人類歷史是人類自己造出的。但不認識世界就不能改造世界，「沒有革命的理論，就沒有革命的運動」[1]，這一方面，我們的老爺[2]是茫然了。必然王國之變為自由王國，是必須經過認識與改造兩個過程的。歐洲的舊哲學家[3]，已經懂得「自由是必然的認識」這個真理。馬克思的貢獻，不是否認這個真理，而是在承認這個真理之後補充了它的不足，加上了根據對必然的認識而「改造世界」[4]這個真理。「自由是必然的認識」——這是舊哲學家的命題。「自由是必然的認識和世界的改造」——這是馬克思主義的命題。一個馬克思主義者如果不懂得從改造世界中去認識世界，又從認識世界中去改造世界，就不是一個好的馬克思主義者。一個中國的馬克思主義者，如果不懂得從改造中國中去認識中國，又從認識中國

---

1 見列寧《怎麼辦？》第一章第四節《恩格斯論理論鬥爭的意義》。《列寧選集》人民出版社 1972 年版第一卷第 241 頁譯文為：「沒有革命的理論，就不會有革命的運動。」

2 指以王明為代表的「左」傾機會主義者。

3 指斯賓諾莎、黑格爾等。

4 參見馬克思《關於費爾巴哈的提綱》（《馬克思恩格斯選集》人民出版社 1972 年版第一卷第 16 頁至 19 頁），恩格斯《反杜林論》第一編十一：《道德和法。自由和必然》（同上第三卷第 154 頁）。

中去改造中國，就不是一個好的中國的馬克思主義者。馬克思說人比蜜蜂不同的地方，就是人在建築房屋之前早在思想中有了房屋的圖樣[5]。我們要建築中國革命這個房屋，也須先有中國革命的圖樣。不但須有一個大圖樣，總圖樣，還須有許多小圖樣，分圖樣。而這些圖樣不是別的，就是我們在中國革命實踐中所得來的關於客觀實際情況的能動的反映（關於國內階級關係，關於國內民族關係，關於國際各國相互間的關係，以及關於國際各國與中國相互間的關係等等情況的能動的反映）。我們的老爺之所以是主觀主義者，就是因為他們的一切革命圖樣，不論是大的和小的，總的和分的，都不根據於客觀實際和不符合於客觀實際。他們只有一個改造世界或改造中國或改造華北或改造城市的主觀願望，而沒有一個像樣的圖樣，他們的圖樣不是科學的，而是主觀隨意的，是一塌糊塗的。老爺們既然完全不認識這個世界，又妄欲改造這個世界，結果不但碰破了自己的腦殼，並引導一群人也碰破了腦殼。老爺們對於中國革命這個必然性既然是瞎子，卻妄欲充當人們的嚮導，真是所謂「盲人騎瞎馬，夜半臨深池」了。

（節選自毛澤東《駁第三次「左」傾路線（節選）》，《毛澤東文集》第 2 卷，人民出版社 1993 年版）

5　參見馬克思《資本論》第一卷第三篇第五章 1.《勞動過程》（《馬克思恩格斯全集》人民出版社 1972 年版第 23 卷第 202 頁）。

編選說明 ●●●

本文是毛澤東在延安整風運動中，為駁斥王明「左」傾路線而寫的一篇文章中的一段，於 1983 年 12 月 25 日毛澤東誕辰 90 週年紀念日前夕，在《人民日報》上公開發表。在文中，毛澤東論述了認識世界與改造世界的關係，提出必然王國之變為自由王國，必須經過認識與改造兩個過程。毛澤東認為，「自由是必然的認識」，這是舊哲學家的命題；「自由是必然的認識和世界的改造」，這是馬克思主義的命題。要認識必然獲得自由，必須充分發揮人的自覺能動性。自覺能動性是人類認識必然獲得自由的重要條件。這就從哲學高度闡明了主體活動的目的性和客體的制約性的辯證關係。毛澤東強調指出：「一個馬克思主義者如果不懂得從改造世界中去認識世界，又從認識世界中去改造世界，就不是一個好的馬克思主義者。」

赫拉克利特

智慧就在於認識真理

（1）思想是最大的優點，智慧就在於說出真理，並且按照自然行事，聽自然的話。

（2）思想是人人共有的。

（3）每一個人都能認識自己，都能明智。

（4）如果要想理智地說話，那就必須用這個人人共有的東西武裝起來，就像城邦必須用法律武裝起來一樣，而且要武裝得更牢固。然而人的一切法律都是靠那唯一的神聖法律養育的。因為它從心所欲地統治著，滿足一切，戰勝一切。

（5）一個人如果喝醉了酒，那就被一個未成年的兒童領著走。他步履蹣跚，不知道自己往哪裏走；因為他的靈魂潮濕了。

（6）乾燥的光輝是最智慧、最高貴的靈魂。

（7）清醒的人們有一個共同的世界，可是在睡夢中人們卻離開這個共同的世界，各自走進自己的世界。

（8）不能像睡著的人那樣行事和說話。因為我們在夢中也自以為在行事和說話。

（9）也不能像父母膝下的兒童那樣行事，就是說，不要一味單純地仿傚。

（10）他把人們的意見稱為兒戲。

（11）凡是能夠看到、聽到、學到的東西，都是我喜愛的。

（12）愛智慧的人必須熟悉很多很多東西。

（13）靈魂的邊界你是找不到的，走遍每一條街也找不到；它的根是那麼深。

（14）自然喜歡躲藏起來。

（15）找金子的人挖掘了許多土才找到一點點金子。

（16）正如蜘蛛坐在蛛網中央，只要一個蒼蠅碰斷一根蛛絲，它就立刻發覺，很快跑過去，好像因為蛛絲被碰斷而感到痛苦似的，同樣情形，人的靈魂當身體某一部分受損害時，就連忙跑到那裏，好像不能忍受身體的損害似的，因為它以一定的聯繫牢固地聯結在身體上面。

（17）如果一切都變成了煙，鼻子就會把它們分辨出來。

（18）靈魂在地府裏嗅著。

（19）眼睛是比耳朵可靠的見證。

（20）眼睛和耳朵對於人們是壞的見證，如果他們有著粗鄙的靈魂的話。

（21）我聽過許多人講演，這些人沒有一個能夠認識到智慧是與一切事有分別的東西。

（22）博學並不能使人智慧。否則它就已經使赫西阿德、畢泰戈拉以及克塞諾芬尼和赫卡泰智慧了。

（23）智慧只在於一件事，就是認識那善於駕馭一切的思想。

（24）人們認為對可見的事物的認識是最好的，正如荷馬一樣，然而他卻比所有的希臘人都智慧。有些捉蝨子的小孩嘲笑他，向他喊道：我們看見了並且抓到了的，我們把它放了，我們沒有看見也沒有抓到的，我們把它帶著。

（25）應該把荷馬從賽會中趕出去，並且抽他一頓鞭子，阿爾其羅科也是一樣。

（26）我們對於神聖的東西大都不理解，因為我們不相信它。

（27）淺薄的人聽了無論什麼話都大驚小怪。

（28）因為人的心沒有見識，神的心卻有。

（29）人們不懂得怎樣去聽，也不懂得怎樣去說。

（30）因為多數人儘管多次遇到要思考的事，卻不假思索，別人指點了他，他也不理解，卻想入非非。

（31）他們的心靈或理智是什麼呢彝他們相信街頭賣唱的人，以庸眾為師。因為他們不知道多數人是壞的，只有少數人是好的。

（32）如果愛菲索的成年人都統統上弔，把他們的城邦丟給吃奶的孩子去管，那就對了。他們放逐了赫爾謨多羅，趕走了他們中間那個最優秀的人，並且說，「我們中間不要什麼最優秀的人，要是有的話，就讓他上別處去同別人在一起吧。」

（33）狗咬它不認識的人。

（34）一個人如果最優秀，我看就抵得上一萬人。

（節選自〔古希臘〕赫拉克利特《赫拉克利特著作殘篇》，《西方哲學原著選讀》上卷，商務印書館 1982 年版）

編選說明 ●●●

赫拉克利特曾寫過一部總稱為《論自然》的書，可惜沒有保存下來，我們現在看到的只是 130 多個殘篇，它們是從不同時期的著作中摘錄出來的。殘篇的語言多形象比喻。這裏所選的格言、短語，就是輯錄於他的著作殘篇，主要是圍繞著「智慧就在於認識真理」這個主題而展開的。從中可以瞭解到：作為第一個提出認識論問題的哲學家，赫拉克利特重視感覺經驗，最早提出感覺是否可靠的問題，又提出人人有共同的智慧。他是第一個將哲學從完全討論外部世界的問題，開始轉向同時也研究認識以及認識的主體——人。

羅吉爾·培根

掌握真理的障礙

在掌握真理方面，現在有四種主要的障礙，它妨害每一個人，無論人們怎樣學習，都無法弄清楚他所學的問題，而總是屈從於謬誤甚多、毫無價值的權威；習慣的影響；流行的偏見；以及由於我們認識的驕妄虛誇而來的我們自己的潛在的無知。每一個人都被捲入這些困難之中，每一個等級都被它們困擾。再沒有比人們無區別地從下述三個論據中作出的同一結論更糟糕的了，即：因為這是引證我們前輩的權威，這是習慣，這是一般的信念，所以是正確的。但是，正如我們將用權威、經驗和理性來充分表明的，從這些前提可以得出一個相反的、而且是更好的結論來。可是，縱令這三種錯誤被理性的令人信服的力量所排斥，還有第四種經常準備著、并掛在人們嘴邊的論據用來原諒他自己的無知，雖然他並沒有名副其實的認識，他還是無恥地誇耀它，因此，至少由於他可憐地滿足於自己的愚蠢，他壓制並避開了真理。而且從這些致命的流毒造成了人類的一切罪惡；因為知識的最有用的、最偉大的、最優美的課目，和一切科學與藝術的秘密一樣，他們都是不知道。

還有更壞的是，人們受蔽於這四種錯誤的迷霧而不感覺到自己的無知，反而以各種謹慎的遁辭來保衛它，以致找不到補救的方法；最壞的是：雖然他們在錯誤的最濃密的陰影裏，他們卻以為自己是在真理的充分照耀下。由於這些理由，他們便把最堅不可摧的真理看成是極端荒謬的，把我們的最大的福祉看成是無足輕重的，把我們的主要利益看成是既不重要又無價值的。相反地，他們卻宣揚那虛假的東兩，讚美那最壞的東西，頌揚那最卑鄙的東西，無視智慧的閃光，嘲笑他們最容易得到的東西。由於他們的過度愚蠢，在一件賢明者判定為無聊的、無用的、沒有價值的事情上，他們作出了自己最大的努力，浪費了很多時間，支出了大量費用。因此首先必須認清這四個原因的暴行和毒害的一切罪惡，譴責它們，並將它們遠遠地排斥在科學的考察之外。因為，凡是在前三者占統治的地方，就沒有理性的影響，沒有正直的判斷，沒有法律的束縛，宗教沒有地位了，自然的命令失效了，事物的面貌改變了，它們的秩序混亂了，罪惡流行，道德匿跡，虛偽統治，真理則被噓下了臺。

所以，再沒有比如下的考察更為必需的了，即以那些將被證明為不可辯駁的賢明者的精選的論證，來斷然譴責這四種謬誤。因此賢明者將前三者統一起來加以譴責，因為第四種，由於它特有的愚蠢，需要特殊處理。首先，我試圖指明三者的危害性。雖然權威是其中之一，但我說的絕不是那些真正的確實的權威，即不是由於上帝的裁決而賜予他的教會的權威，也不是源於某些聖者們的、完善的哲學家們的和另一些科學家的個人的優越和尊嚴權威，這些人直到人類幸福的終極也都是追求科學的專家；我說的只是這樣的權威，這些人沒有得到神的同意而在這世界上非法地佔有的權威，它並不是由於他們智慧的優越，而是來自他們的專橫跋扈和沽名釣譽，無知的群眾承認了這些人的權威，按上帝的公正判決就是群眾的自身的毀滅。因為根據聖經：「由於人民的罪行，偽君子經常占居著統治」；因此，我說的是那些沒有理性的人的詭辯的權威，這些人在曖昧的意義下是權威，正如刻在石頭上的和畫在帆布上的眼睛一樣，雖有眼睛之名卻無眼睛之實。

（節選自〔英〕羅吉爾·培根《大著作》，《西方哲學原著選讀》上卷，商務印書館 1982 年版）

編選說明 ●●●

羅吉爾·培根（Roger Bacon，1214—1292），中世紀英國哲學家、科學家。他本人雖是弗蘭西斯教派僧侶，並曾留學巴黎，獲得過神學博士學位，但他對僧侶階級的腐朽、貪婪、奢侈和驕傲卻進行了猛烈的抨擊。他熱情地稱讚和宣傳亞里斯多德等古代哲學家的思想，對經院哲學進行了尖銳的批判。由於他的許多著作中的科學思想不為教會所接受，並且冒犯了弗蘭西斯教派領袖，曾被長期囚禁。羅吉爾·培根曾長期在牛津大學從事科學研究，積極主張並且從事科學實驗活動，認為觀察和實驗才是獲得真知的唯一方法。由於他極力推崇實驗方法，因而被視為近代實驗科學的先驅。儘管享有「中世紀思想之王」的美譽，但在世時其思想並沒有產生太大影響，而幾個世紀之後其著述《大著作》才得以廣泛傳播。本文就選自他的《大著作》第一部分，文中他極力反對對權威的過分崇拜，把「權威」、「習慣」、「成見」、「虛誇」看成是人們獲得真知的四種障礙。

布魯諾

真理面前半步也不後退

前進，我親愛的菲洛泰奧[1]，願任何東西也不能迫使你放棄你宣傳你那美妙的學說，無論是無知之徒的粗野咒　，無論是苟安庸碌之輩的憤慨，無論是教條主義者和達官貴人的憤怒，無論是群氓的胡鬧，無論是社會輿論的令人震驚，無論是撒謊者和心懷嫉妒者的誹謗，這些都損害不了你在我心目中的崇高形象，決不會使我離開你。

頑強地堅持下去，我的菲洛泰奧，堅持到底！不要灰心喪氣，不要退卻，哪怕那笨拙無知、擁有重權的高級法庭用種種陰謀來陷害你，哪怕它妄圖使用一切可能的手段來抵制那美好的意圖、你那種種著作的勝利。

你放心吧，這樣的一天總是會到來的。那時所有的人都會明白我所明白的東西，那時所有的人都會承認：對於每一個人來說，同意你的見解並頌揚你是那麼容易做到，就像要比得上你卻那麼難於做到那樣，所有的人，凡不是從頭壞到腳的人，終有一天會在良心驅使之下給予你應得的讚揚。要知道，打開理性的眼睛的，歸根到底是內在的教師，因為我們理解思想上的財富並不是從外部，而是從內部，從自身的精神得到。在所有人的心靈中都有健全理智的顆粒，都有天賦的

1　「菲洛泰奧」是一個虛擬的人物形象，是布魯諾自己靈魂的化身，文中的呼籲正是布魯諾自己內心的 喊和抗爭。

良心，它聳立於莊嚴的理性法庭之上，對善與惡、光明與黑暗進行評判並作出公正的判決。你那良好事業的最忠誠最卓越的捍衛者之所以能從每一個人意識的深處終於點燃起起義之火，要歸功於這樣的判決。

而那不敢與你交朋友的人，那些膽怯地頑固維護自己的卑鄙無知的人，那些堅持充當赤裸裸的詭辯派和真理的不共戴天的敵人的人，他們將在自己的良心中發現審判官和劊子手，發現為你復仇的人，這位復仇者將能更加無情地在他們自己的思想深處懲罰他們，使他們再也無法向自己隱藏這些觀點。當敵人給予你的打擊被擊退的時候，讓一大群奇怪而兇惡的愛夫門尼德[2]把他包圍起來，讓其狂怒傾瀉在……敵人的內心動機上，並用自己的牙齒將他折磨至死。

前進！繼續教導我們去認識關於天空、行星與恒星的真理，給我們講解在無限多的天體中一個與另一個究竟有什麼不同，在無限的空間中無限的原因與無限的作用為什麼不僅是可能的，而且也是必然的。教導我們什麼是真正的實體、物質和運動，誰是整個世界的創造者，為什麼任何有感覺的事物都由同一要素和本原組成。給我們宣講關於無限宇宙的學說。徹底推翻這些假想的天穹和天域——它們似乎應把這麼多的天空和自然領域劃分開來。教導我們譏笑這些有限的天域以及貼在其上的眾星。讓你那些所向披靡的論據萬箭齊發，摧毀群氓所相信的、第一推動者的鐵牆和天殼。打倒庸俗的信仰和所謂的第五本質。賜給我們關於地球規律在一切天體上的普遍性以及關於宇宙

2　「愛夫門尼德」是希臘神話中的復仇女神，專在地獄中折磨人的靈魂。

中心的學說。徹底粉碎外在的推動者和所謂各層天域的界限。給我們敞開門戶，以便我們能夠通過它一覽廣漠無垠的統一的星球世界。告訴我們其它世界是如何像我們這個世界那樣在以太的海洋裏疾馳的。給我們講解所有世界的運動如何由它們自身內部靈魂的力量來支配。並教導我們，在以這些觀點為指導去認識自然的道路上，堅定不移地闊步前進。

（節選自〔意〕布魯諾《論無限、宇宙和諸世界》，人民出版社 2010 年版）

編選說明 •••

布魯諾（Giordano Bruno，1548—1600），意大利思想家、自然科學家、哲學家和文學家，著名的無神論者。他捍衛和發展了哥白尼的日心說，並把它傳遍歐洲，被世人譽為是反教會、反經院哲學的無畏戰士，是捍衛真理的殉道者。1592 年由於批判經院哲學和神學、反對地心說等「罪名」被捕入獄，最後被宗教裁判所判為「異端」燒死在羅馬鮮花廣場。本文節選自布魯諾的著作《論無限、宇宙和諸世界》。文中，他提出了一種驚世駭俗的新世界觀，描繪了一幅與宗教教義根本對立的新的世界圖景。雖然哥白尼的太陽系圖像改變了地球中心論的地位，動搖了人類中心論和創世的上帝的地位，但是他所創立的宇宙圖景還是一個封閉的、有中心的世界。而布魯諾則提出了宇宙無限論和世界統一論，這是一篇新宇宙觀的宣言，不僅否定了地球中心説，也修正了太陽中心説，使上帝在宇宙中無處藏身和無事可幹。文章充滿了激情與理性解放的渴望，深刻地反映了打破思想牢籠的時代要求。

伏爾泰

論平等

一條狗欠一條狗什麼，一匹馬欠一匹馬什麼？什麼都不欠，沒有一種動物依賴於它的同類。可是人類接受了叫做理智的神性光芒，結果是什麼？幾乎全世界都有奴隸制。

這個世界看來並非像它應有的樣子，也就是說，如果人類發現在世界各地都可以輕鬆、有保障地生活，有和人類本性相適應的氣候，一個人就不可能去征服另一個人，這是很清楚的。如果這個地球上長滿了有益於健康的水果，如果我們生命中不可缺少的空氣不再導致我們生病和死亡，如果人類只需要像鹿那樣的住所和床鋪，那麼，成吉思汗和帖木兒除了他們的孩子就不會有其它僕人，他們的孩子將很正直，並幫助他們安度晚年。

在所有哺乳動物、鳥類和爬行動物所享受的自然狀態中，人類會和它們一樣快樂，征服就會成為一個空想，一個誰也不會想到的可笑的念頭，因為當你不需要侍候時，為什麼要去找僕人呢？

如果某個思想專制、精力旺盛的人想征服比他弱的鄰居，這事就不可能成功，因為受壓迫者會在壓迫者採取行動前就跑到一百里格（1 裏格相當於英美的 3 英里）以外的地方去了。

因此，如果所有的人都無所要求，那他們就肯定是平等的。我們人類特有的貧困使一個人屈服於另一個人。真正的禍害不是不平等，而是從屬。稱某人殿下，稱另一人陛下，這無關緊要，可是要侍候這人或那人是很難的。

一個人口眾多的家庭耕種著良田，兩個鄰近的小家庭只有貧瘠和堅硬的土地，很顯然，這兩個貧窮的家庭要麼為這個富裕的家庭做工，要麼殺了這家人。這兩個貧困家庭的一家靠為富裕家庭做工來謀生；另一家襲擊富裕家庭，被打敗了。前者家的人當傭人和勞工，被打敗的家庭裏的人則淪為奴隸。

在我們可憐的地球上，生活在社會中的人不可能不被分成兩個階級，一個是壓迫階級，另一個是被壓迫階級；這兩個階級又再分成若干階層，而這若干階層又進一步分等級。

所有的被壓迫者不是絕對的不幸，他們當中大多數人就出生在這種狀態中，不斷地勞動使他們對自己所處狀況的感受不會太敏銳，可當他們感受到了時，那我們就有了諸如羅馬平民派反對元老院派的戰爭以及德國、英國和法國的農民起義。所有這些戰爭遲早都以對人民的奴役而告終，因為有權勢的人有錢，在某種狀況下，金錢是一切的主宰。我說某種狀況下，因為並不是每個國家都是如此。最充分地利用劍戟的國家總是征服黃金多而勇氣小的國家。

每個人天生就有征服、聚財和享樂的強烈願望，而且非常喜歡無所事事。結果，每個人都想佔有別人的金錢、妻女，成為別人的主人，讓他們屈服於他的隨心所欲的怪念頭，什麼都不幹，或者至多只做些非常快樂的事。顯然，如果有了這樣良好的性情，讓人們平等就像讓兩個傳道士或兩個神學教授不互相嫉妒一樣變得根本不可能。

如果沒有無數一無所有的有用的人，人類就根本不能生存。因為一個富人肯定不會放棄他的地位來替你種田；如果你需要一雙鞋，法官也不會為你去做。因此，平等是最自然也是最不切實際的事。

由於人類只要有可能就在任何事物上都走極端，這種不平等就被加大了。一些國家宣佈：公民沒有權利離開他偶然出生的國家。這條法律的意思顯而易見，這個國家如此之差，治理得如此不好，以致我們禁止任何人離開它，因為我們害怕每個人都會離開它。其實更好的辦法是：讓你的人民願意留在國內，外國人願意來你們的國家。

每個人都有權利從心底裏相信自己和所有其它人是完全平等的，這不是說一個紅衣主教的廚師應該命令他的主人為他做飯，而是廚師可以說：「我像我的主人一樣是個人，像他一樣，我是在淚水中出生的；他像我一樣將遭受同樣的痛苦而死亡，死後也有同樣的儀式。我們兩人都在完成同樣的動物功能。如果土耳其人佔領了羅馬，我當上了紅衣主教，我的主人則成了廚師，我將讓他為我服務。」這些話是理智的、公正的；可是在土耳其人佔領羅馬以前，這廚師必須盡職，否則任何一個人類社會都會是反常的。

如果一個人既不是紅衣主教的廚師，也沒有擔任任何公職；如果一個要求並不過分的平民心裏生氣，因為別人處處都以恩賜和輕視的態度對待他，他清楚地看到有幾個主教的知識、智慧、美德並不比他多，而他有時卻不得不在他們的等候室裏等得都厭倦了，那他應該怎麼辦？他應該離開。

（〔法〕伏爾泰《論平等》，《伏爾泰經典文存》，上海大學出版社 2006 年版）

編選說明

伏爾泰（Voltaire，1694—1778），原名弗朗索瓦—馬利・阿魯埃（Franç；ois-Marie Arouet），伏爾泰是他的筆名。法國啟蒙思想家、文學家、史學家、哲學家。他不僅在哲學上有卓越成就，也以捍衛公民自由，特別是信仰自由和司法公正而聞名。作為十八世紀法國資產階級啟蒙運動的旗手，伏爾泰被譽為「法蘭西思想之王」、「法蘭西最優秀的詩人」、「歐洲的良心」。雨果曾評價說：「伏爾泰的名字所代表的不是一個人，而是整整一個時代。」

伏爾泰是自然權利說的信奉者，強調人生來就是自由和平等的。本文正是他核心思想的集中體現。文中，他認為：如果所有的人都無所要求，那他們就肯定是平等的。然而由於每個人天生就有征服、聚財和享樂的強烈願望，而且非常喜歡無所事事，這就使平等成為最自然卻也是最不切實際的事。由於人類只要有可能就在任何事物上都走極端，使得這種不平等被進一步加大。因此，他強調每個人都有權利從心底裏相信自己和所有其它人是完全平等的，並通過法律來保障人與人之間的這種平等。

波普爾

如何對待錯誤？

我的著作是想強調科學的人性方面。科學是可以犯錯誤的，因為我們都是人，而人是會犯錯誤的。因而錯誤是可以得到原諒的。只有不去盡最大努力避免錯誤，才是不可原諒的。但即使犯可以避免的錯誤，也是可以原諒的。

這是我對科學的一個方面的看法：誇大科學的權威性是不對的。人們盡可以把科學的歷史看做是發現理論、摒棄錯了的理論並以更好的理論取而代之的歷史。

我從未到過中國：接近中國的是我在香港大學當了幾年特邀主考，並在一九六三年到那裏訪問過幾個星期。當我在倫敦教書的時候，以及在美國教書的時候，我都有過幾個很好的中國學生。但這個經歷還不足以使我對下述一事作出是否屬實的判斷：據說中國流行的生活態度都認為犯錯誤是丟面子的。如果這確實是真的，那麼根據我對科學的看法就要求改變這種態度。甚至應當代之以另一種相反的態度。如果有人發現了你的一種錯誤看法，你應當對此表示感謝；對於批評你的錯誤想法的人，你也應當表示感謝，因為這會導致改正錯誤，從而使我們更接近於真理。我說過，我無法判斷那種認為犯錯誤就丟面子的態度是否真是中國人民的性格。但我確實碰到過很多歐洲人和美國人都採取這種態度，而這種態度，如我所說，是同科學態度不相容的。

我發現，歐洲和美國許多人，其中也有一些著名的科學家，在生活中都採取這種態度，並對改正錯誤感到十分不快：他們實在忍受不了還要去改正錯誤。可以把這種態度叫做權威主義或者教條主義的態度。持有這種態度的人總是認為，他們是權威或者專家，因而有責任認識得完全正確。但如果我的科學觀是對的，那麼你的認識就不可能完全正確，因為根據我的科學觀，任何科學理論都是試探性的，暫時的，猜測的：他們都是試探性的假說，而且永遠都是這樣的試探性假說。

當然，無論在歐洲或者在美國，我的觀點都受到非難，現在也仍然有很多的非難。有時不僅受到非難，甚至還受到批判，就是說，人們也有時，儘管很罕見，提出一些根據來證明我的觀點不可能對。根據之一就是我們的技術和工藝的成就，例如醫學技術。但是，沒有別的例子比醫學技術更能說明我們是怎樣通過消除錯誤而前進的事實了。實際上只有當醫學技術學會了自我批評以後，它才成了醫學科學，並且通過批判地修正醫學教條而取得了偉大的進步。

不應當把我的觀點誤解為我們不可能得到真理。我不懷疑我們有許多科學理論是真實的；我所要說的是，我們無法確定一個理論是不是真理，因而我們必須做好準備，有些最為我們偏愛的理論到頭來卻原來並不真實。既然我們需要真理，既然我們的主要目標是獲得真實的理論，那麼我們就必須想到這樣的可能性，即我們的理論不管目前是多麼成功，卻未必完全真實，它只不過是真理的一種近似，為了找到更好的近似，我們除了對理論進行理性批判以外，別無其它選擇。

理性批判並不是針對個人的。它不去批判相信某一理論的個人，它只批判理論本身。我們必須尊重個人以及由個人所創造的觀念，即使這個觀念錯了。如果不去創造觀念——新的觀念甚至革命性的觀念，我們就永遠一事無成。但是，既然創造了並闡明了這種觀念，我們就有責任批判地對待它們。

人是生物機體，一切生物機體都要犯錯誤。自然界本身就犯錯誤。但人又是一種十分特別的機體。人們擁有由我們自由支配的語言。這種特殊的成就，即語言和書寫，是我們同其它動物的最大的區別之處。

但是這一點恰恰使我們能夠進行批判。把我們的理論化為語言，寫下來，就把它們置於我們之外了，既然置於我們之外，我們就可以作為客觀存在、即再也不屬於我們自己的一部分的存在而加以批判了。如果這樣做了，我們就成了科學家。

（〔奧〕波普爾著，紀樹立編譯《如何對待錯誤》，《科學知識進化論——波普爾科學哲學選集》，三聯書店 1987 年版）

編選說明 •••

作為當代著名的科學哲學家、批判理性主義的主要代表，卡爾·波普爾在探討科學知識增長的過程中，批判了邏輯實證主義的可證實原則和歸納法，提出了以證偽原則、試錯法和科學發展動態模式為主要內容的證偽主義思想，在西方哲學界影響極大。本文是波普爾於 1985 年 9 月 2 日為中文版《波普爾科學哲學選集》所寫的序言，也體現了他的一貫主張。文中，波普爾認為，科學是可以犯錯誤的，不應誇大科學的權威性。在他看來，任何科學理論都是試探性的、暫時的、猜測的，科學的歷史就是擯棄錯了的理論並以更好的理論取而代之的歷史。波普爾強調，不應將他的觀點誤解為我們不可能得到真理，而只是說我們的理論不管目前有多麼成功，可能只不過是真理的一種近似，為了找到更好的近似，就必須對現有的理論進行理性批判，這種批判不是針對個人，而只是針對理論本身。

墨子

非攻（中）

子墨子言曰：「古者王公大人為政於國家者[1]，情慾譽之審，賞罰之當，刑政之不過失。……」是故子墨子曰：「古者有語：'謀而不得，則以往知來，以見知隱[2]'。謀若此可得而知矣。」

今師徒唯毋興起，冬行恐寒，夏行恐暑，此不以冬夏為者也，春則廢民耕稼樹藝，秋則廢民獲斂。今唯毋廢一時，則百姓飢寒凍餒而死者，不可勝數。今嘗計軍上[3]：竹箭、羽旄、幄幕、甲盾、撥劫[4]，往而靡弊腑冷不反者[5]，不可勝數。又與矛、戟、戈、劍、乘車，其列住碎折靡弊而不反者[6]，不可勝數。與其牛馬，肥而往，瘠而反，往死亡而不反者，不可勝數。與其塗道之修遠，糧食輟絕而下繼，百姓死者，不可勝數也。與其居處之不安，食飯之不時，饑飽之不節，百姓之道疾病而死者，不可勝數。喪師多不可勝數，喪師盡不可勝計，則是鬼神之喪其主後，亦不可勝數。

國家發政，奪民之用，廢民之利，若此甚眾。然而何為為之？

1　「古」為「今」字之誤。
2　「見」通「現」。
3　「上」為「出」字之誤。
4　「撥」同「瞂」，「劫」同「鉣」。
5　「腑」為「腐」之假借字。「冷」當作「泠」。「反」通「返」。下同。
6　「列住」為「往則」之誤。

曰：「我貪伐勝之名，及得之利，故為之。」子墨子言曰：「計其所自勝，無所可用也；計其所得，反不如所喪者之多。」今攻三里之城、七里之郭，攻此不用銳，且無殺，而徒得此然也？殺人多必數於萬，寡必數於千，然後三里之城、七里之郭且可得也。今萬兼之國，虛數於千，不勝而入；廣衍數於萬，不勝而闢[7]。然則土地者，所有餘也；王民者[8]，所不足也。今盡王民之死，嚴下上之患，以爭虛城，則是棄所不足，而重所有餘也。為政若此，非國之務者也！

飾攻戰者言曰：「南則荊、吳之王，北則齊、晉之君，始封於天下之時，其土城之方，未至有數百里也；人徒之眾，未至有數十萬人也。以攻戰之故，土地之博，至有數千里也；人徒之眾，至有數百萬人。故當攻戰而不可為也。」子墨子言曰：「雖四五國則得利焉，猶謂之非行道也。譬若醫之藥人之有病者然，今有醫於此，和合其祝藥之於天下之有病者而藥之。萬人食此，若醫四五人得利焉，猶謂之非行藥也。故孝子不以食其親，忠臣不以食其君。古者封國於天下，尚者以耳之所聞，近者以目之所見，以攻戰亡者，不可勝數。」何以知其然也？東方有莒之國者，其為國甚小，間於大國之間，不敬事於大，大國亦弗之從而愛利，是以東者越人夾削其壤地，西者齊人兼而有之。計莒之所以亡於齊、越之間者，以是攻戰也。雖南者陳、蔡，其所以亡於吳、越之間者，亦以攻戰。雖北者且、不一著何[9]，其所以亡於燕代、胡貊之間者，亦以攻戰也。是故子墨子言曰：「古者王

7　「闢」通「避」。

8　「王」為「士」字之誤。下同。

9　「且不一著何」當作「且一不著何」。「一」疑為「以」字之誤。

公大人[10]，情慾得而惡失，欲安而惡危，故當攻戰，而不可不非。」

飾攻戰者之言曰：「彼不能收用彼眾，是故亡；我能收用我眾，以此攻戰於天下，誰敢不賓服哉！」子墨子言曰：「子雖能收用子之眾，子豈若古者吳闔閭哉？」古者吳闔閭教七年，奉甲執兵，奔三百里而舍焉。次注林，出於冥隘之徑，戰於柏舉，中楚國而朝宋與及魯。至夫差之身，北而攻齊，舍於汶上，戰於艾陵，大敗齊人，而葆之大山[11]；東而攻越，濟三江五湖，而葆之會稽。九夷之國莫不賓服。於是退不能賞孤，施捨群萌[12]，自恃其力，伐其功，譽其志，怠於教。遂築姑蘇之臺，七年不成。及若此，則吳有離罷之心[13]。越王句踐視吳上下不相得，收其眾以復其仇，入北郭，徙大內[14]，圍王宮，而吳國以亡。昔者晉有六將軍，而智伯莫為強焉。計其土地之博，人徒之眾，欲以抗諸侯，以為英名、攻戰之速。故差論其爪牙之士，皆列其車舟之眾，以攻中行氏而有之，以其謀為既已足矣。又攻茲范氏而大敗之，並三家以為一家而不止，又圍趙襄子於晉陽。及若此，則韓、魏亦相從而謀曰：「古者有語：‘唇亡則齒寒。’趙氏朝亡，我夕從之；趙氏夕亡，我朝從之。詩曰：‘魚水不務，陸將何及乎？’」是以三主之君，一心戮力，闢門除道，奉甲興士，韓、魏自外，趙氏自內，擊智伯，大敗之。

10　「古」為「今」字之誤。

11　「葆」通「保」。

12　「萌」通「氓」。

13　「罷」為「披」之假借字。

14　「內」為「舟」字之誤。

是故子墨子言曰：「古者有語曰：'君子不鏡於水，而鏡於人。鏡於水，見面之容；鏡於人，則知吉與凶。' 今以攻戰為利，則蓋嘗鑒之於智伯之事乎[15]？此其為不吉而凶，既可得而知矣。」

（節選自孫詒讓《墨子閒詁》，中華書局 2001 年版）

編選説明 ● ● ●

墨子（約公元前 468—前 376），名翟，戰國時期著名的思想家、教育家、科學家、軍事家、社會活動家，墨家學派的創始人。創立墨家學説，當時影響很大，與儒家並稱「顯學」。有《墨子》一書傳世，涉及兼愛、非攻、尚賢、尚同、節用、節葬、非樂、天志、明鬼、非命等內容，而以兼愛為其核心。

墨子處在一個群雄爭霸、弱肉強食的時代，百姓飽受戰亂之苦，因而極其渴望安定平和的生活。正是由於體察到百姓疾苦，體會到弱國無奈，墨子由此提出非攻的主張，著意反對的是當時「大則攻小也，強則侮弱也，眾則賊寡也，詐則欺愚也，貴則傲賤也，富則驕貧也」的掠奪性戰爭。墨子以是否兼愛為準繩，把戰爭嚴格區分為「誅」（誅無道）和「攻」（攻無罪），即正義與非正義兩類。「兼愛天下之百姓」的戰爭，是正義戰爭；「兼惡天下之百姓」的戰爭，則是非正義的。墨子的非攻思想給現代尋求和平的人們以深刻的啟發。

15　「蓋」通「盍」。

李大釗

庶民的勝利

我們這幾天慶祝戰勝，實在是熱鬧得很。可是戰勝的，究竟是哪一個？我們慶祝，究竟是為哪個慶祝？我老老實實講一句話，這回戰勝的，不是聯合國的武力，是世界人類的新精神。不是哪一國的軍閥或資本家的政府，是全世界的庶民。我們慶祝，不是為哪一國或哪一國的一部分人慶祝，是為全世界的庶民慶祝。不是為打敗德國人慶祝，是為打敗世界的軍國主義慶祝。

這回大戰，有兩個結果：一個是政治的，一個是社會的。

政治的結果，是「大……主義」失敗，民主主義戰勝。我們記得這回戰爭的起因，全在「大……主義」的衝突。當時我們所聽見的，有什麼「大日爾曼主義」咧，「大斯拉夫主義」咧，「大塞爾維主義」咧，「大……主義」咧。我們東方，也有「大亞細亞主義」、「大日本主義」等等名詞出現。我們中國也有「大北方主義」、「大西南主義」等等名詞出現。「大北方主義」、「大西南主義」的範圍以內，又都有「大……主義」等等名詞出現。這樣推演下去，人之欲大，誰不如我？於是兩大的中間有了衝突，於是一大與眾小的中間有了衝突，所以境內境外戰爭迭起，連年不休。

「大……主義」就是專制的隱語，就是仗著自己的強力蹂躪他人欺壓他人的主義。有了這種主義，人類社會就不安寧了。大家為抵抗這種強暴勢力的橫行，乃靠著互助的精神，提倡一種平等自由的道理。這等道理，表現在政治上，叫做民主主義，恰恰與「大……主義」相反。歐洲的戰爭，是「大……主義」與民主主義的戰爭。我們國內的戰爭，也是「大……主義」與民主主義的戰爭。結果都是民主主義戰勝，「大……主義」失敗。民主主義戰勝，就是庶民的勝利。

社會的結果，是資本主義失敗，勞工主義戰勝。原來這回戰爭的真因，乃在資本主義的發展。國家的界限以內，不能涵容他的生產力，所以資本家的政府想靠著大戰，把國家界限打破，拿自己的國家作中心，建一世界的大帝國，成一個經濟組織，為自己國內資本家一階級謀利益。俄、德等國的勞工社會，首先看破他們的野心，不惜在大戰的時候，起了社會革命，防遏這資本家政府的戰爭。聯合國的勞工社會，也都要求平和，漸有和他們的異國的同胞取同一行動的趨勢。這亙古未有的大戰，就是這樣告終。這新紀元的世界改造，就是這樣開始。資本主義就是這樣失敗，勞工主義就是這樣戰勝。世間資本家占最少數，從事勞工的人占最多數。因為資本家的資產，不是靠著家族制度的繼襲，就是靠著資本主義經濟組織的壟斷，才能據有。這勞工的能力，是人人都有的，勞工的事情，是人人都可以作的，所以勞工主義的戰勝，也是庶民的勝利。

民主主義勞工主義既然佔了勝利，今後世界的人人都成了庶民，也就都成了工人。我們對於這等世界的新潮流，應該有幾個覺悟：第一，須知一個新命的誕生，必經一番苦痛，必冒許多危險。有了母親誕孕的勞苦痛楚，才能有兒子的生命。這新紀元的創造，也是一樣的艱難。這等艱難，是進化途中所必須經過的，不要恐怕，不要逃避的。第二，須知這種潮流，是只能迎，不可拒的。我們應該準備怎麼能適應這個潮流，不可抵抗這個潮流。人類的歷史，是共同心理表現的記錄。一個人心的變動，是全世界人心變動的徵幾。一個事件的發生，是世界風雲發生的先兆。一七八九年的法國革命，是十九世紀中各國革命的先聲。一九一七年的俄國革命，是二十世紀中世界革命的先聲。第三，須知此次平和會議中，斷不許持「大……主義」的陰謀政治家在那裏發言，斷不許有帶「大……主義」臭味，或伏「大……主義」根蒂的條件成立。即或有之，那種人的提議和那種條件，斷歸無效。這場會議，恐怕必須有主張公道破除國界的人士占列席的多數，才開得成。第四，須知今後的世界，變成勞工的世界。我們應該用此潮流為使一切人人變成工人的機會，不該用此潮流為使一切人人變成強盜的機會。凡是不做工吃乾飯的人，都是強盜。強盜和強盜奪不正的資產，也是一種的強盜，沒有什麼差異。我們中國人貪惰性成，不是強盜，便是乞丐，總是希圖自己不做工，搶人家的飯吃，討人家的飯吃。到了世界成一大工廠，有工大家作，有飯大家吃的時候，如何能有我們這樣貪惰的民族立足之地呢？照此說來，我們要想在世界上當一個庶民，應該在世界上當一個工人。諸位呀！快去做工呵！

（李大釗《庶民的勝利》，《李大釗文集》第 2 卷，人民出版社 1999 年版）

編選說明 ● ● ●

李大釗（1889—1927），中國早期馬克思主義者，中國共產黨創始人之一。不僅是一位傑出的詩人、學者，同時也是一位傑出的無產階級理論家、宣傳家。他以高度的愛國主義思想和熱烈追求真理的精神，積極傳播馬列主義。本文就是李大釗於 1918 年 11 月末或 12 月初，在中央公園（即中山公園）發表的一篇閃耀著馬克思主義光輝的著名政治演講。演講深刻揭露了帝國主義戰爭的實質是進行國際掠奪，熱情歌頌了十月革命的偉大勝利是 20 世紀中世界革命的先聲，指出勞工主宰世界是歷史的潮流，這不僅向中國人民介紹了列寧的布林什維主義，並為中國社會的發展指明了前進的方向。這篇演講對中國人民的覺醒和無產階級登上政治舞臺，起了極其重要的啟蒙作用。它標誌著李大釗從民主主義者向馬克思主義者的轉變，是李大釗思想發展史中一個重要的里程碑。

馮定

真理是平凡的

真理，並非像有些人所認為的，好像是玄虛的，神秘的，不可捉摸的，沒有憑準的；都不是的。真理是實實在在的，或者說是平凡的。

平凡可並不是淺薄或者庸俗的意思，而是說：真理是客觀在主觀中的反映，所以是客觀存在的，是跟平凡的事物和平凡的群眾分不開的。只要我們不要「自命不凡」，不要光是胡思亂想，更不要聽信那些代表帝國主義和沒落階級的反動學者的妄言和謬論，而能夠鑽研和理解平凡的事物，接近和體會平凡的群眾所說的和所做的，那麼我們就會發現真理和認識真理了。

古往今來，確實也有不少真正偉大的人物，比如偉大的科學家和偉大的革命家就是。他們的偉大，不僅因為他們的科學成就或者革命業績是經歷久遠而不可磨滅的；而且正是因為他們的成就或者業績，對於真理的顯露和展示來說，都是直接間接有所貢獻的。但是他們也同樣是離不開平凡的事物和平凡的群眾的，否則也就不可能偉大了。

科學的發現和發明，首先離不開氣體、液體、固體或者礦物、植物、動物這樣平凡的東西，離不開水沸、火燒、魚遊、鳥飛、蟲爬、獸走、花開、葉落以及吸引和排斥、化合和分解、生長、死亡……等等平凡的現象；這是顯而易見的。再次，科學的發現和發明，也離不開平凡的群眾；這不僅因為沒有廣大勞動人民在進行生產，首先是生活資料的生產，社會就不能存在，任何科學工作也就無從談起；而且因為科學是必須倚靠社會現存的生產技術和技能的，而科學的發現和發明，反過來又必須在改造世界的事業中，主要就是在生產中去考驗和應用的，否則任何發現和發明也就無從證實其是怎樣的正確和有什麼意義了。近世紀來，科學的發現和發明，工具的改進，多種機器、儀器的創制，在探索從無限宏觀世界至無限微觀世界之間的奧秘，確是空前驚人的。然而既經發現發明了，使人知道，物質世界原來是這樣那樣在運動和變化的，明白了它的來龍去脈，也就會感到它來自平凡，沒有什麼奧秘可說的了。

革命，改革制度，發展生產力，歸根到底，為的正是解決大家衣食教養等等平凡的生活問題。革命決不是一個人或者少數人能夠掀得起來的；革命的爆發，總是有當時當地的歷史條件引起和促成的，而且總是倚靠群眾的覺悟和活動在進行的。革命的領袖們在歷史上雖有重大作用，但真正的領袖總是當歷史條件成熟而群眾需要領袖時才被群眾尋找出來和擁戴起來的。領袖正是因為能夠想群眾在想的，說群眾要說的，做群眾所迫切期望的，才獲得群眾的愛戴，否則就是先被擁戴而後又脫離了群眾，也會變成「孤君寡人」而被群眾所唾棄。

偉大的哲學家或者思想家也是這樣。他們的偉大，也總是跟已有的或者現存的科學成就和社會改革分不開的，也就是跟平凡的事物和平凡的群眾分不開的；否則其思想不是錯誤百出，便是荒謬絕倫，根本說不上偉大不偉大了。馬克思主義是人類至今為止最能反映客觀真理的思想體系，然而馬克思主義的創始人馬克思，不但總結了並接受了人類自古以來的科學知識和歷史知識，而且正是從最平凡的一堆一堆商品中，從最平凡的廣大勞動人民也就是工人階級的鬥爭中，發現了資本主義社會的結構和人剝削人的關係的，因而確立起來了當今最正確的和最完整的世界觀，論證了整個人類社會歷史的發展規律，認識了工人階級的社會地位和歷史任務，直至規定了革命的戰略和策略，指明了革命的遠景和前途，成為經得起在革命實踐中一再檢驗的普遍真理。至於馬克思的戰友恩格斯以及他們的繼承者列寧、斯大林等，也同樣都是因為決不離開平凡這才偉大的。

總而言之，真理是跟平凡的事物和平凡的群眾分不開的，自命不凡的人，是不易甚至是不能認識真理和接受真理的；而真正偉大的人，總是決不輕視或者藐視平凡的事物和平凡的群眾的，不過他們來自群眾去至群眾，想的深刻，說的明確，帶著大家做的堅決而又徹底，常常能夠符合真理罷了。

（節選自馮定《平凡的真理》，《馮定文集》第 1 卷，人民出版社 1987 年版）

編選說明 ●●●

馮定（1902—1983），著名的馬克思主義哲學家、教育家，浙江寧波人。1927 年赴莫斯科中山大學學習，1930 年畢業回國。20 世紀 30 年代用「貝葉」（取自「貝葉傳經」這一古語，意即用自己的文章來傳播馬克思主義的經典）的筆名發表了大量有關青年思想修養的文章。1947 年寫成《平凡的真理》一書，該書在闡述哲學理論時廣泛地結合了生理學、心理學、教育學、社會學、政治學等許多內容。依據列寧辯證法、認識論、邏輯三者是統一的思想，將哲學理論分作四大部分：人的認識發生的生理基礎和社會基礎；兩種對立的認識論；唯物辯證法的基本規律和範疇；馬克思主義哲學原理在其它領域的展開和應用。該書在 20 世紀 50 年代曾幾次再版，在中國青年和幹部中產生過廣泛而良好的影響，對傳播馬克思主義哲學起了一定的作用。這裏所選的是書中的一個部分，強調了真理不是玄虛神秘的，而是實實在在的，是跟平凡的事物和平凡的群眾分不開的。

擴展閱讀 • • •

1. 馬克思：《共產黨宣言》，《馬克思恩格斯選集》第 1 卷，人民出版社 1995 年版。
2. 馮定：《平凡的真理》，《馮定文集》第 1 卷，人民出版社 1987 年版。
3. 馮契：《認識世界和認識自己》，華東師範大學出版社 1996 年版。
4. 波普爾：《猜想與反駁》，上海譯文出版社 1986 年版。
5. 齊振海：《人為什麼犯錯誤——真理的探索》，中國青年出版社 1983 年版。
6. 蔡燦津主編：《外國自然科學家的真理觀》，新疆人民出版社 2001 年版。
7. 劉建軍：《追問信仰》，河北人民出版社 1998 年版。

8. 吳江：《思想力的源泉：哲學專題十九講》，蘭州大學 2007 年版。

後記

在人類文明的歷史長河中，從世界到中國，從遠古到現今，一批批先賢哲人為我們留下了難以計數的經典著作，這些作品極大地推動了社會的進步，豐富了人們的精神文化生活，是人類文明的瑰寶。

中共江西省委宣傳部組織專家按政治、經濟、哲學、法學、文學、歷史、藝術、科技八個門類，從古今中外的經典著作中精選了一批有代表性的作品，分別編輯成冊，供廣大幹部學習借鑒。我們相信，廣大讀者一定可以通過閱讀這套書，獲取知識，獲取智慧，獲取力量。

在選編過程中，借鑒選用了國內一些出版社公開出版的經典著作中的篇章，藉此機會，特向這些著作的著者、整理者、譯者和出版者表示誠摯的謝意。同時歡迎相關著者、譯者見到本書後與我們聯繫，我們將按有關標準及時奉寄稿酬。由於時間緊，加之水準有限，遺珠之處在所難免，請廣大讀者批評指正。

江西人民出版社

2011 年 11 月

昌明文庫．悅讀經典 A0601004

一生必讀的中外經典名著·哲學卷

選　　編　黎康
責任編輯　蔡雅如

發 行 人　陳滿銘
總 經 理　梁錦興
總 編 輯　陳滿銘
副總編輯　張晏瑞
編 輯 所　萬卷樓圖書股份有限公司
排　　版　菩薩蠻數位文化有限公司
印　　刷　百通科技股份有限公司
封面設計　菩薩蠻數位文化有限公司

出　　版　昌明文化有限公司
桃園市龜山區中原街 32 號
電話 (02)23216565
發　　行　萬卷樓圖書股份有限公司
臺北市羅斯福路二段 41 號 6 樓之 3
電話 (02)23216565
傳真 (02)23218698
電郵 SERVICE@WANJUAN.COM.TW
大陸經銷
廈門外圖臺灣書店有限公司
電郵 JKB188@188.COM

ISBN 978-986-496-033-0
2017 年 7 月初版
定價：新臺幣 460 元

如何購買本書：

1. 劃撥購書，請透過以下郵政劃撥帳號：
帳號：15624015
戶名：萬卷樓圖書股份有限公司
2. 轉帳購書，請透過以下帳戶
合作金庫銀行　古亭分行
戶名：萬卷樓圖書股份有限公司
帳號：0877717092596
3. 網路購書，請透過萬卷樓網站
網址　WWW.WANJUAN.COM.TW

大量購書，請直接聯繫我們，將有專人為您服務。客服：(02)23216565 分機 10

如有缺頁、破損或裝訂錯誤，請寄回更換

國家圖書館出版品預行編目資料

一生必讀的中外經典名著. 哲學卷 / 黎康選編. -- 初版. -- 桃園市：昌明文化出版；臺北市：萬卷樓發行, 2017.07
面；　公分. --(昌明文庫. 悅讀經典；A0601004)　ISBN 978-986-496-033-0(平裝)
1.推薦書目
012.4　　106011517